D0121941

Jean-Guy - Gaudreault - 16 Février 2018

J·C· GAUDREAULT

La guerre des Bush

Du même auteur

Vodka Cola (en collaboration avec Charles Levinson), Stock.
La Puce et les Géants, préface de Fernand Braudel, Fayard.
La Corde pour les pendre, Fayard.
Karl Marx Avenue, roman, Olivier Orban.
Un espion en exil, roman, Olivier Orban.
Guerre du golfe (en collaboration avec Pierre Salinger), Olivier Orban.
Tempête du désert, Olivier Orban.
Les Fous de la paix (en collaboration avec Marek Halter), Plon/Laffont.
La Mémoire d'un roi, entretiens avec Hassan II, Plon.
Guerre du Kosovo, le dossier secret, Plon.

Eric Laurent

La guerre des Bush

Les secrets inavouables d'un conflit

Plon

© Plon, 2003.
ISBN : 2-259-19844-9

Introduction

Devant la presse qu'ils n'aiment guère, et c'est un euphémisme, George W. Bush et son père se livrent parfois à quelques facéties verbales : « Je vous laisse répondre, numéro 41 ; je n'en ferai rien, à vous la parole, numéro 43. »

Les deux hommes s'esclaffent, les journalistes et le public aussi, sensibles à la complicité qui unit le père, 41e président des Etats-Unis, et son fils, 43e chef de l'exécutif américain. A huit ans d'intervalle, les deux hommes se sont succédé à la Maison Blanche et à la tête du pays le plus puissant de la planète. Un phénomène sans précédent dans l'histoire américaine, à l'exception de John Quincy Adams qui devint le 6e président de l'Union, mais vingt-quatre ans après son père John Adams.

En Amérique, selon un adage, « on accède au pouvoir politique par l'argent ». Mais l'assassinat de John Kennedy a réduit à néant le rêve dynastique de cette famille et, malgré leur immense fortune et le mythe de leur identification au pouvoir américain, les Rockefeller n'ont jamais pu accéder à la fonction suprême. Nelson Rockefeller, gouverneur de l'Etat de New York et principal bailleur de fonds du parti républicain, fut tout juste l'éphémère vice-président d'un Gerald Ford, pape de transition aussi fugace que médiocre.

A la différence de Kennedy, de Clinton, ou même de Nixon, « ce roi sombre », selon la formule de Michel Crozier, les Bush n'accrochent pas le regard, ne retiennent guère l'attention et suscitent peu la controverse. On les imagine lisses, « l'image faite homme ». A tort. Ils appartiennent à une dynastie financière et politique au parcours complexe, mue par le sens et le goût du secret. L'actuel ministre de la Défense, Donald Rumsfeld, se plaît à citer la formule de Winston Churchill affirmant que la « vérité est une chose trop importante pour ne pas être protégée par des mensonges ». Elle s'applique mot pour mot aux Bush. Quelles que soient leurs qualités et leurs compétences réelles, les deux hommes ne sont pas des présidents anodins. Les événements majeurs, au cours des douze dernières années, à la charnière d'un nouveau millénaire, se sont déroulés sous leur présidence : effondrement de l'Empire soviétique et du bloc communiste ; première guerre du Golfe ; événements du 11 Septembre, globalisation du terrorisme et nouveau conflit imminent avec Bagdad...

Ce livre propose aux lecteurs de passer de l'autre côté du miroir et de découvrir que les Bush ont non seulement dîné avec le diable mais qu'ils se sont souvent invités à sa table. Des liens troublants avec la famille Bin Laden et la nébuleuse terroriste, des secrets de famille soigneusement enfouis qui contribuent également à expliquer l'étrange acharnement de George W. Bush contre Saddam Hussein, un homme que son père avait choisi d'aider et d'armer, provoquant peut-être l'invasion du Koweit.

Au fil des pages, le lecteur découvrira aussi que la morale et l'éthique régissent bien peu les relations internationales, et que les événements réellement importants correspondent rarement aux chronologies officielles.

Dans cette enquête, l'argent, les affaires et la politique projettent à leurs étranges confins un jeu mêlé de silhouettes ambiguës, de désinformation et de manipulation permanente...

PREMIÈRE PARTIE

1

Commercer avec des régimes qui leur sont totalement hostiles et contribuer à leur renforcement militaire ont toujours été deux des caractéristiques essentielles du monde des affaires capitaliste, et parfois de ses dirigeants politiques. Ainsi, au début des années 40, la prédiction de Lénine paraissait accomplie : les sociétés multinationales avaient « hérité de la terre ». General Motors et Ford (respectivement 900 000 et 500 000 salariés) dominaient alors le marché mondial de l'automobile et des véhicules tout-terrain. Henry Ford précise – principe garanti aussi robuste que ses modèles –, quelques semaines avant le déclenchement de la Seconde Guerre mondiale : « Nous ne nous considérons pas comme une compagnie nationale, seulement comme une organisation multinationale. »

Lorsqu'il inaugure en 1939 un nouveau jeu de Monopoly qui, du premier coup de dés, le conduit à la case polonaise, Hitler transforme les chancelleries et les parlements en volières apeurées. Mais au même moment, Alfred Sloan, président de General Motors, rassure sèchement quelques actionnaires inquiets : « Nous sommes trop grands pour être gênés par ces minables querelles internationales. »

Mieux, la plus grande firme mondiale joue un rôle essentiel dans la préparation de ce vaste rallye transeuropéen organisé par l'ancien peintre viennois. En 1929, la société américaine est devenue propriétaire à 100 % d'Opel. En 1935, à la demande du haut état-major nazi, les bureaux d'étude de cette firme, installés à Brandebourg, se consacrent à la mise sur roue d'un nouveau modèle de camion lourd qui devrait être moins vulnérable aux attaques aériennes ennemies. Dès 1938, l'Opel « Blitz », produit à une cadence accélérée, équipe l'armée allemande. Sensible au geste, Hitler épingle en 1938 son aigle de première classe au veston du « Chief Executive » de General Motors. Au même moment, Ford ouvre dans la banlieue de Berlin une usine d'assemblage ; selon les rapports des services de renseignements de l'armée américaine, ces bâtiments sont destinés à la production des transports de troupes pour la Wehrmacht.

Au début de 1939, sept mois avant l'ouverture du conflit, General Motors reconvertit les établissements Opel à Rüsselsheim dans la fabrication d'avions militaires. De 1939 à 1945, ces usines produiront et assembleront à elles seules 50 % de tous les systèmes de propulsion destinés au Junker 88, considéré par les experts aéronautiques comme le « meilleur bombardier équipant la Luftwaffe ».

Les filiales de General Motors et Ford construisent 80 % des half-tracks de trois tonnes baptisés « mules » et 70 % de tous les camions lourds de moyen tonnage qui équipent les armées du Reich. Pour les services secrets anglais, ces véhicules constituent « l'épine dorsale du système de transport de l'armée allemande ». Là encore, l'entrée en guerre des Etats-Unis n'infléchit en rien la stratégie de ces firmes, aussi rectiligne qu'une autoroute.

Le 25 novembre 1942, le gouvernement nazi nomme le Pr Carl Luer administrateur du complexe de Rüsselsheim. Mais la cour d'appel principale de Darmstadt précise que « l'autorité du conseil des directeurs ne sera pas affectée par cette décision administrative, les méthodes et les responsables du management resteront les mêmes ». Et, de fait, Alfred Sloan et ses vice-présidents James B. Mooney, John T. Smith et Graene K. Howard continueront de siéger au conseil d'administration de General Motors-Opel durant toute la guerre. Mieux, en violation flagrante des législations existantes, les informations, rapports et matériels circulent on ne peut mieux entre le quartier général de Detroit, les filiales installées dans les pays alliés, et celles implantées dans les territoires contrôlés par les puissances de l'Axe.

Les registres financiers d'Opel-Rüsselheim révèlent que, de 1942 à 1945, la firme élabore ses stratégies de production et de vente en coordination étroite avec les usines de General Motors disséminées à travers le monde, notamment avec General Motors-Japon (Osaka) ; General Motors-Continental (Anvers) ; General Motors-China (Hong-Kong et Shangai) ; General Motors-Uruguay (Montevideo) ; General Motors do Brazil (Sao Paulo), etc.

En 1943, alors que les usines américaines du groupe équipent l'aviation des Etats-Unis, le groupe allemand élabore, fabrique, assemble les moteurs du Messerschmitt 262, premier chasseur à réaction au monde. L'avantage technologique ainsi conféré aux nazis est essentiel. Capable de voler à près de 1 000 km/h, cet appareil surclasse nettement en rapidité (plus de 200 km/h) son adversaire américain, le P510 Mustang.

Dès la fin des hostilités, Ford et General Motors réclameront rapidement au gouvernement américain des réparations pour les dommages subis par leurs installations dans les pays de l'Axe, du fait des bombardements alliés. En 1967, justice leur est enfin rendue : General Motors obtient 33 millions de dollars, sous forme d'exemptions fiscales sur ses bénéfices, pour les « gênes et destructions occasionnées à ses usines fabriquant des avions et des véhicules motorisés, implantées en Allemagne, Autriche, Pologne et Chine ». De son côté, Ford arrache un peu moins d'un million de dollars pour les dégâts causés à ses chaînes de fabrication de camions militaires installées à Cologne.

« La paix mondiale par le commerce mondial », déclare en 1933 Thomas Watson, le fondateur d'IBM lors de son élection à la Chambre de commerce internationale. Quelques années plus tard, Hitler lui remet l'ordre du mérite de l'aigle allemand avec étoile. Les deux hommes ont des rapports chaleureux, et les intérêts – l'implantation d'IBM en Allemagne nazie – sont déjà considérables.

Dès la déclaration de guerre, Watson transfère les intérêts européens d'IBM dans une holding installée à Genève et que dirigera un capitaine de l'armée suisse, Werner Lier. Le responsable des activités allemandes de la firme sera le Dr Otto Kriep. La firme IBM est considérée comme un élément important de l'effort de guerre nazi. Thomas Watson se maintient dans une prudente expectative, laissant évoluer la situation. Cependant, dès 1942, après Pearl Harbor, il réoriente totalement les activités de son groupe aux Etats-Unis. Détenteur de 94 % des intérêts de Munitions Manufacturing Corporation, il fabrique des canons et des pièces pour les moteurs d'avion. Cet effort en faveur du monde libre se chiffrera par un bénéfice de plus de 200 millions de dollars. Au même moment, la holding suisse continue de recevoir les bénéfices des opérations allemandes. Avec une remarquable ingéniosité, Werner Lier met en place une filière destinée à faciliter le transfert et l'évasion d'une partie de ses profits, en utilisant l'ambassade que les Etats-Unis maintiennent à Vichy auprès du maréchal Pétain. Dès cette époque, la culture IBM, ce réflexe d'identification et de solidarité avec la firme, agit de façon efficace. Un des responsables canadiens du groupe, bombardier dans la RAF, au cours d'un raid au-dessus de la ville de Sindelfingen, larguera ses bombes au hasard pour éviter qu'elles ne touchent l'usine d'IBM qui était l'objectif de cette mission.

Les établissements français, situés près de Paris, à Corbeil-Essonnes, seront administrés par le capitaine SS Westerholt. Vingt après la fin de la guerre, un des vétérans du comité exécutif de la firme pouvait souligner avec satisfaction « le grand nombre d'hommes dévoués à IBM parmi les anciens responsables allemands, et leur souci constant de protéger une part précieuse de notre patrimoine ».

Thomas Warson termina sa vie en « patriarche » du monde des affaires et en devenant l'intime du président Eisenhower. Tout comme Prescott Bush, qui sera honorable sénateur républicain du Connecticut de 1952 à 1962. Le grand-père de l'actuel président, avant de devenir le partenaire de golf d'Eisenhower, avait mené une carrière de banquier à Wall Sreet en tout point efficace et fructueuse. Pour lui aussi, un certain nombre d'investissements et d'acquisitions dans une Allemagne devenue nazie s'étaient révélés hautement profitables. Selon la formule d'un observateur, « à cette époque, il existait deux races de financiers et de spéculateurs. Ceux qui comme Joe Kennedy affichaient des sympathies nazies mais ne faisaient pas d'affaires avec l'Allemagne nazie, et les autres qui n'éprouvaient pas d'engouement particulier pour Hitler mais saisissaient les opportunités ».

Visiblement, Prescott Bush se rangeait dans la seconde catégorie, une zone grise où les actes sont mus par un solide apolitisme, une absence de conviction profonde et une certaine amoralité propre au monde des affaires.

L'homme n'avait pas vraiment le profil d'un self-made man. Son père Samuel Bush possédait des aciéries et fabriquait notamment des voies de chemin de fer. Il était également directeur de la Federal Reserve Bank de Cleveland et conseiller du président de l'époque, Herbert Hoover. Prescott avait effectué ses études à l'université de Yale où il s'était lié d'amitié avec Roland Harriman, l'un des fils du multimillionnaire qui possédait notamment l'une des plus importantes compagnies de chemin de fer des Etats-Unis. Le jeune Bush, sportif accompli et homme énergique, sut saisir les deux opportunités qui changèrent le cours de sa vie.

En 1921 il épousa Dorothy Walker, la fille d'un puissant financier de Wall Street, et cinq ans plus tard il rejoignait, en tant que vice-président, la banque d'affaires que son beau-père venait de créer en partenariat avec les Harriman, ses amis d'université : W.A. Harriman and Co. L'établissement fusionna en 1931 avec la société financière anglo-américaine Brown Brothers pour devenir la banque d'affaires la plus importante des Etats-Unis, et politiquement la plus influente.

Prescott Bush et ses partenaires avaient pris pied en Allemagne dès les années 20 en rachetant la compagnie de navigation Hambourg-Amerika Line qui détenait la quasi-exclusivité du trafic maritime allemand vers les Etats-Unis. Il s'agissait là d'une première étape. La banque installa son antenne européenne à Berlin et élabora de nombreux partenariats, notamment avec certains des industriels les plus puissants du pays. Au premier rang desquels Fritz Thyssen, propriétaire du groupe sidérurgique qui portait son nom. Thyssen allait publier quelques années plus tard un livre remarqué, au titre éloquent : « J'ai financé Hitler ». Véritable profession de foi envers le national-socialisme, l'ouvrage confirmait également ce qui était déjà de notoriété publique : Thyssen avait aidé le mouvement nazi dès octobre 1923, et on le qualifiait de « banquier privé de Hitler ».

Harriman and Co. et Thyssen, à travers une banque qui lui appartenait aux Pays-Bas, la Bank Voor Handel en Scheepvaart (BHS), décidèrent de la création d'un établissement commun, l'Union Banking Corporation. Selon les enquêteurs qui se penchèrent sur ce dossier, cette banque devait permettre de favoriser des investissements croisés, aux Etats-Unis et dans le groupe Thyssen, ainsi que dans d'autres firmes allemandes.

Le 20 octobre 1942, peu après l'entrée en guerre des Etats-Unis, l'Union Banking Corporation fit l'objet d'une saisie du gouvernement fédéral pour « commerce avec l'ennemi ». Prescott Bush était le directeur de l'établissement, et ses principaux associés et actionnaires, outre Roland Harriman, étaient trois cadres nazis, dont deux travaillaient pour Thyssen. Huit jours plus tard, l'administration Roosevelt appliqua les mêmes sanctions à l'encontre de la Holland-American Trading Corporation et de Seamless Steel Equipment Corporation, toutes deux dirigées également par Bush et Harriman, et accusées de coopérer avec le Troisième Reich. Un mois plus tard, le 8 novembre 1942, une procédure identique frappa la Silesian-American Corporation, une holding qui possédait d'importantes mines de charbon et de zinc, en Pologne et en Allemagne, exploitées en partie par les prisonniers des camps de concentration, « dont l'utilisation, selon un rapport, a sans aucun doute fourni au gouvernement allemand une aide considérable dans son effort de guerre ».

Prescott Bush siégeait au conseil de direction de cette firme qui avait fait l'objet de montages juridiques complexes laissant quelque peu dans l'ombre son partenaire allemand. Et pourtant, il s'agissait de l'industriel

Friedrich Flick, lui aussi bailleur de fonds du parti nazi, puis plus tard du corps des SS à travers le « cercle des amis de Himmler » dont il était membre.

L'opération s'était déroulée en deux temps : en 1931, Harriman Fifteen Corporation, dont Prescott Bush était un des directeurs, avait acquis une part substantielle de Silesian Holding Corp. qui s'était ensuite transformé en Consolidated Silesian Steel Corporation. Un groupe dont les Américains possédaient un tiers, les deux tiers restants étant la propriété de Friedrich Flick. Ce dernier, à l'issue de la guerre, fut jugé par le tribunal de Nuremberg et condamné à sept ans de prison. Il n'en effectua que trois et demi et mourut comme il avait vécu, milliardaire et respecté, au milieu des années 70, dans une Allemagne depuis longtemps frappée d'amnésie. Harriman Brown Brothers avait également comme interlocuteur dans l'Allemagne nazie le banquier Kurt von Schroeder, de la Stein Bank, qui fut général SS et, lui aussi, un des financiers de Himmler.

Les hommes d'affaires aiment agir mais guère se souvenir. Prescott Bush fortune faite, la page équivoque de la Seconde Guerre mondiale tournée, se présenta au Sénat. Battu en 1950, il fut élu deux ans plus tard. Son fils George Herbert Walker Bush, le futur président, né en 1924, avait, lui, effectué une guerre courageuse dans l'aviation. En 1944, son appareil avait été abattu par les Japonais au-dessus du Pacifique.

Entre deux parties de golf avec le président Eisenhower, Prescott Bush ciselait un certain nombre de sentences qui se transmirent, au sein de sa famille, de génération en génération, comme autant de règles de vie et de bonne conduite. L'équivalent au fond de « tu seras un homme mon fils » de Kipling, en plus prosaïque et beaucoup moins talentueux. George W. Bush confia l'une d'entre elles, peu après son élection : « Mon grand-père nous a toujours déclaré, à tous, à mon père, à mon frère : avant de vous lancer dans la politique, commencez par réussir dans les affaires. Vos futurs électeurs seront alors convaincus que vous êtes compétents et désintéressés, attachés à l'intérêt général. » C'était une phrase doublement savoureuse quand on se souvenait de quelle manière Prescott Bush avait manifesté dans le passé son sens de l'intérêt général et alors que le principal titre de gloire de son petit-fils, avant de devenir président, avait été selon la formule d'un observateur, « de perdre autant de millions de dollars dans l'industrie pétrolière que son père en avait gagnés ».

2

« La politique, estimait Carl Schmitt, un politologue allemand au passé douteux mais au jugement parfois lucide, est avant tout la désignation d'un ennemi. » Après la Seconde Guerre mondiale, les Etats-Unis avaient immédiatement reconnu en l'Union soviétique l'adversaire parfait, incontournable, la menace totale. Un dogme, un credo qu'ils avaient fait partager à leurs alliés et qui était devenu l'axe central de leur politique étrangère. Pourtant, dès le début des années 70, la vérité, soigneusement cachée, s'écartait de plus en plus des discours officiels.

L'URSS, « l'empire du mal », comme allait le caractériser Ronald Reagan, exigeait, pour être combattu, endigué, affaibli, des moyens financiers et militaires considérables. Le Pentagone, « Pentagone Inc. », comme le surnommaient les observateurs, était aussi une gigantesque entreprise dotée à elle seule d'un budget équivalent à celui de la France et employant 5 millions de salariés dont 2 millions de militaires d'active. Dans plus de vingt Etats américains et dans vingt-trois pays, les Etats-Unis assuraient une présence militaire constante. Quatre millions de personnes travaillaient dans l'ensemble de l'industrie de la défense qui faisait également vivre, par le système de la sous-traitance, 10 000 petites entreprises et plusieurs autres millions de salariés.

Plus de 10 000 officiers de haut rang, ex-dirigeants du Pentagone, collaboraient directement à une industrie qui présentait la caractéristique paradoxale d'être totalement privée et de vivre uniquement grâce aux financements du gouvernement. La position déficitaire de firmes comme Lockheed ou Generals Dynamics n'était pas le reflet d'un malaise et d'une mévente mais uniquement une tactique financière pour obtenir des subventions accrues des milieux officiels. Le Pentagone traitait avec tous les géants de l'industrie et de l'aéronautique pour lesquels il était un client séduisant prêt à payer sans rechigner du matériel, des équipements, à des coûts souvent exorbitants.

Pourtant, ces centaines de milliards de dollars dépensés, parfois gâchés, pour assurer la défense du monde libre ne pouvaient masquer un constat inquiétant : si en 1969 l'homme avait marché sur la lune, en 1976 il marchait sur la tête. En effet, le 25 février de cette même année, le Département d'Etat (ministère des Affaires étrangères) dut avouer, embarrassé, que les Etats-Unis fabriquaient depuis 1972 en Union soviétique les roulements à billes miniatures indispensables à la mise au point du système de guidage qui équipe les missiles balistiques MIRV, à têtes multiples. La décision de rompre avec la politique d'embargo reposait uniquement sur des considérations commerciales. Selon le Pentagone, plusieurs compagnies italiennes et suisses, contractants de l'OTAN, fabriquaient des pièces semblables et approvisionnaient depuis plusieurs années les Soviétiques.

Ce n'était qu'un exemple, parmi les plus frappants, des nombreuses dérives qui découlaient de la politique de détente, politique mais surtout économique et commerciale, envers l'URSS et le bloc de l'Est, initiée au début des années 70 par Richard Nixon. Les plus grandes firmes et banques capitalistes avaient profité de cette brèche pour s'implanter dans ce vaste ensemble géographique où, de Berlin-Est à Vladivostok, coincés entre deux goulags, cohabitaient 400 millions d'individus. Les dirigeants de ces multinationales et banques d'affaires découvraient que les pays d'Europe de l'Est, et l'Union soviétique, possédaient des ressources auxquelles ils attribuaient une très grande valeur : des quantités massives de main-d'œuvre qualifiée, extrêmement disciplinée, très bon marché. Le spectacle de leur propre indignité ne leur traversa probablement jamais l'esprit, pourtant ils soutenaient et renforçaient un régime totalitaire comme trente années auparavant leurs prédécesseurs l'avaient fait avec l'Allemagne nazie.

« La CIA, un éléphant fou furieux »

1976 est une année clé, charnière dans notre chronologie : Richard Nixon a quitté le pouvoir et George Bush entre en scène, tandis que la silhouette de son fils commence déjà à se profiler.

En 1976, George Bush va prendre la direction de la CIA. Jusqu'ici, il n'a été qu'un outsider, non seulement dans la vie politique américaine mais même au sein du Parti républicain auquel il appartient. C'est un homme scrupuleux, travailleur, dont le calme et le sang-froid absolus servent à masquer une émotivité qu'il juge excessive. Il ne se considère pas comme un homme politique visant le sommet mais plutôt comme un homme d'Etat dont l'apprentissage doit sacrifier aux rites de la politique. Une initiation laborieuse. A deux reprises, en 1964 et 1970, il s'est présenté aux élections sénatoriales. Sans succès. A deux reprises également, en 1968 et 1972, il a brigué la vice-présidence. Tout aussi vainement. En

1972, Nixon lui a préféré Gerald Ford, sur qui pèse la sentence la plus cruelle qui ait jamais été portée en Amérique sur un homme politique. Son auteur, l'ancien président Lyndon B. Johnson : « Gerald Ford est trop stupide pour pouvoir marcher et mâcher un chewing-gum en même temps. »

Stupide mais président, Ford fait grincer les dents de Bush qui n'a eu droit qu'à quelques postes de consolation : ambassadeur à l'ONU, puis chef de la mission diplomatique américaine en Chine, poste qu'il occupe en 1975, quand les choses se dégradent et se précipitent à Washington.

L'affaire du Watergate a en effet incité une partie de la presse américaine à pousser plus loin ses enquêtes sur les agissements des services de renseignements. Le 22 décembre 1974, le *New York Times* titre sur toute sa première page, sous la signature de Seymour Hersh : « Gigantesques opérations de la CIA à l'intérieur des Etats-Unis dirigées contre les opposants à la guerre et divers dissidents pendant la présidence de Richard Nixon ».

Les médias s'acharnent ainsi sur la CIA avec une frénésie sans pareille, relayés par des hommes politiques et des citoyens ordinaires qui exigent que l'on mette un terme aux pratiques odieuses de cet organisme comparé par certains à « un éléphant fou furieux ayant échappé au contrôle de ses gardiens ».

Le 4 janvier 1975, sous la pression de l'opinion, Gerald Ford annonce la création d'une commission d'enquête présidentielle chargée d'examiner les affaires d'espionnage illégal menées à l'intérieur du pays par la CIA. Cette commission est présidée par le vice-président Nelson Rockefeller. Le dirigeant de l'agence de renseignements, William Colby, un vétéran des services secrets qui se sait condamné par le pouvoir politique, rapporta avec une fausse ingénuité : « Aussitôt après ma première déposition devant sa commission, son président Nelson Rockefeller m'entraîna dans son bureau et me dit de son ton le plus charmant : "Bill, faut-il vraiment que vous nous en disiez autant ?" »

Personne en effet, au sein de l'exécutif, ne souhaite que les révélations aillent trop loin, et pourtant les digues s'effondraient les unes après les autres, menaçant la plus secrète et, estimait-on, la plus efficace des agences de renseignements : la NSA (National Security Agency). Ce monstre technologique disposait à l'époque d'un budget annuel de plus de 10 milliards de dollars et grâce à ses centres d'écoute, ses satellites espions et ses ordinateurs capables de briser des codes réputés inviolables, elle pouvait mettre sur écoute le monde entier. Le film *Ennemi d'Etat* a révélé au grand public ses agissements, mais plus de vingt-cinq ans auparavant elle incarnait déjà un nouveau Big Brother. Au cours de l'année 1974, elle avait intercepté 23 472 780 communications individuelles, et certains bâtiments de son quartier général, à Fort Meade en Virginie, abritaient des machines capables de détruire les documents « non essentiels » au rythme de 20 tonnes par jour. Mais le plus embarrassant tenait au fait qu'il n'existait ni loi ni commission du Congrès visant à contrôler ses agissements. En fait, il n'existait même aucune loi officialisant sa création. L'agence était née en 1952 d'une décision secrète de la présidence Truman, la directive numéro 6 du Conseil national de sécurité dont le texte, vingt-trois ans plus tard, restait encore classé top secret. Lorsque, en 1975, la commission de la Chambre des représentants pour les problèmes d'espionnage, présidée par Otis Pike, chercha à prendre connaissance de cette fameuse directive portant création de la NSA, la Maison Blanche opposa un refus absolu.

« Mais enfin c'est incroyable ! explosa Pike. On nous demande de voter des budgets chaque fois plus considérables pour un organisme qui emploie de plus en plus de monde, et nous ne pouvons même pas obtenir copie du morceau de papier qui prouve que cette agence a été autorisée. »

Plus grave encore fut la déclaration faite devant cette même commission, le 7 août 1975, par le directeur de la CIA, William Colby. Interrogé, celui-ci évoqua le rôle de la NSA dans « l'interception des communications destinées aux Etats-Unis ou à l'étranger ».

— Ces agissements pouvaient-ils aboutir à placer un certain nombre de citoyens américains sous surveillance ? lui demanda Lee Aspin, un membre du Congrès.

— En certaines occasions, répondit Colby, il doit être en effet difficile de dissocier cet aspect du trafic enregistré ; c'est même techniquement impossible.

Rumsfeld et Cheney écartent Bush

Cette intervention plaçait encore davantage la Maison Blanche sur la sellette. Deux membres de l'équipe de Gerald Ford le poussaient à l'intransigeance et à une manœuvre de diversion : nommer au plus vite un nouveau directeur à la tête de la CIA, afin de détourner l'attention de la NSA.

Le premier occupait le poste de secrétaire général adjoint de la Maison Blanche. Agé de trente-quatre ans, visage sévère chaussé de fines lunettes, cheveux blonds et fins, il se nommait Dick Cheney. Le second, plus âgé de presque dix ans, était son supérieur immédiat en tant que secrétaire général de la présidence, et quelques mois plus tard il allait, déjà, se voir attribuer le portefeuille de ministre de la Défense. Il s'agissait de Donald Rumsfeld,

qualifié à l'époque par Henry Kissinger de « va-t-en
guerre permanent ».

Ils s'étaient longuement concertés pour dresser la liste
des candidats potentiels... et acceptables. Le nom de
George Bush n'y figurait pas. Dans un mémo transmis à
Ford, Rumsfeld estimait que Bush était « familiarisé avec
les méthodes de la communauté du renseignement et
leurs missions » mais le recommandait pour le poste de
ministre du Commerce.

Ce relatif désaveu tenait avant tout à une différence
de tempérament. Rumsfeld et Cheney étaient, déjà, des
faucons qui redoutaient que la crise politique en cours ne
déstabilise l'exécutif américain et affaiblisse durablement
le rôle des Etats-Unis sur la scène internationale. A leurs
yeux, Bush, avec ses opinions mesurées, quand il lui arri-
vait de les exprimer, était un « poids plume », un patri-
cien de la Côte Est, enrichi dans le pétrole mais égaré en
politique. Ils se trompaient lourdement sur son compte et
n'allaient pas tarder à le découvrir. Bush, qui allait plus
tard devenir pour eux un véritable « parrain », relançant
leur carrière et leur obtenant des postes extrêmement
lucratifs quand ils s'éloignèrent des allées du pouvoir,
arracha le poste de directeur de la CIA. Il activa tous ses
réseaux, ses alliés dans le monde des affaires et de la
finance, dont une bonne part étaient des contributeurs
importants au financement du Parti républicain.

A la fin de l'année 1975, au cours d'un épisode surnommé « le massacre de Halloween », Gerald Ford
convoqua le directeur de la CIA, William Colby. Il fut
immédiatement limogé, ainsi que le ministre de la
Défense, James Schlesinger, remplacé par Rumsfeld, tandis que Cheney lui succédait comme secrétaire général
de la Maison Blanche. Faisant allusion à cet événement,
le leader de la majorité démocrate de la Chambre des

représentants, Tip O' Neill, personnage de légende au sein du Congrès avec sa crinière blanche et son verbe souvent impertinent, déclara : « Le Président a fait dégringoler les singes qui étaient dans les branches, mais il n'a pas coupé les grands arbres. »

George Bush, nommé aussitôt, entra en fonctions en janvier 1976, avec des pouvoirs accrus par rapport à ses prédécesseurs, grâce à une mesure présidentielle édictée par Gerald Ford, l'« Executive Order 11905 ». Selon le *New York Times*, « Ford avait centralisé entre les mains de l'actuel directeur de la CIA plus de pouvoir que n'en avaient jamais eu ses prédécesseurs depuis la création de l'agence ».

Homme secret, Bush comprit immédiatement que la CIA avait impérativement besoin de regagner l'anonymat pour retrouver une réelle efficacité. C'est probablement le principal résultat dont il peut être crédité ! En moins d'un an, l'agence disparut totalement de la une des journaux, mais pour ses plus proches collaborateurs, durant ces onze mois, Bush demeura en tout point une énigme, ne se livrant jamais, éludant même les faits les plus anodins concernant son passé. « Il était, confiera l'un d'entre eux, d'une courtoisie qui ressemblait à un pont-levis que l'on relève pour se retrancher derrière les murailles d'un château fort. »

La plus stupéfiante « entreprise criminelle »

Une autre initiative prise par George Bush passa sur le moment beaucoup plus inaperçue, mais, avec le recul du temps, elle est semblable à un fil d'Ariane qui permet de remonter jusqu'aux secrets les plus inavouables.

Pendant de longues années, la CIA avait possédé plusieurs flottes d'avions, la plus connue étant Air America qui fut utilisée tout au long de la guerre du Vietnam.

En 1976, Bush vendit plusieurs appareils à un homme d'affaires de Houston, Jim Bath. Toutes les informations concordent, y compris le témoignage de Bath, pour affirmer qu'il avait été recruté par Bush lui-même pour travailler au sein de la CIA. Cet aveu a notamment été rapporté par son ancien associé, Charles W. White, qui précise d'autre part qu'en 1982 Bath et lui s'étaient trouvés au Ramada Club de Houston au moment où le vice-président Bush y séjournait. Selon White, il s'était approché de Bath en lui lançant « Hello Jim ».

L'homme, alors âgé de quarante ans, était aussi un ami de George W. Bush qu'il avait rencontré alors que ce dernier effectuait son service militaire dans l'aviation de la garde nationale du Texas, pour échapper au Vietnam... George W. Bush y traînait son ennui, « le plus souvent au bar, se rappelle un de ses collègues, vêtu d'un blouson d'aviateur et discutant avec les serveuses ».

Skyways Aircraft Leasing, la compagnie de charters domiciliée aux îles Caïmans et administrée par Bath, qui racheta les avions de la CIA, était contrôlée par des intérêts saoudiens. Le principal actionnaire était Khalid Bin Mahfouz, directeur exécutif et principal propriétaire de la National Commercial Bank, le plus important établissement bancaire d'Arabie Saoudite, étroitement lié à la famille royale. Il avait également pris le contrôle d'une des plus importantes banques de Houston, associé avec un autre financier saoudien, Ghaith Pharaon, le fils d'un médecin de l'ex-roi Fayçal. Dix ans plus tard, Khalid Bin Mahfouz allait acquérir une participation significative dans ce qui reste à ce jour la plus stupéfiante « entreprise criminelle » du XXe siècle, selon les mots du procureur américain Robert Morgenthau : la BCCI (Banque de Crédit et de Commerce International). Son fondateur, le Pakistanais Agha Hasan Abedi, insistait sur la « mission

morale » de sa banque, conçue comme le premier établissement financier d'envergure créé dans un pays en développement pour favoriser la croissance des pays du Sud.

Opérant dans 73 pays, contrôlant 30 milliards de dollars de dépôts, elle allait en réalité accueillir l'argent de
la drogue et du terrorisme, violer les lois, soutenir les
pires dictateurs, faciliter les opérations clandestines de
la CIA, et même, estime-t-on, d'Ousama Bin Laden. Le
Panaméen Manuel Noriega y avait déposé une bonne partie de sa fortune, tout comme Saddam Hussein, les chefs
du cartel de Medellin, le terroriste palestinien Abou
Nidal, le roi de l'opium Khun Sa, le plus grand trafiquant
d'héroïne du Triangle d'or, les services secrets saoudiens... De très proches collaborateurs de Bush, nous le
verrons, entretenaient des liens avec cette banque. En
1988, Bin Mahfouz racheta 20 % de la BCCI pour près
d'un milliard de dollars, mais peu après l'établissement
afficha 10 milliards de perte, ce qui précipita la chute du
financier saoudien.

Aujourd'hui, malade, Khalid Bin Mahfouz vit en résidence surveillée en Arabie Saoudite. En effet, le gouvernement saoudien a racheté sa participation au sein de la
banque puis l'a forcé à démissionner. Plus grave encore,
une information publiée par le quotidien *USA Today*, le
29 octobre 1999, puis par ABC News et obtenue à partir
de sources provenant des services de renseignements
américains, révélait que l'établissement de Khalid Bin
Mahfouz avait été utilisé à de nombreuses reprises par
plusieurs riches Saoudiens pour transférer des dizaines de
millions de dollars sur des comptes liés à Ousama Bin
Laden et Al Qaeda. Cinq hommes d'affaires du royaume
avaient notamment transféré 3 millions de dollars à la
Capitol Trust Bank de New York, d'où l'argent avait été
acheminé jusqu'à deux organisations islamiques caritatives, Islamic Relief et Bless Relief, opérant comme

façades pour Ousama Bin Laden. Un an après les attentats contre les ambassades américaines au Kenya et en
Tanzanie.

En 1998, une révélation de James Woolsey, alors
directeur de la CIA, fournit un éclairage supplémentaire :
la sœur de Bin Mahfouz serait une des épouses d'Ousama
Bin Laden.

Salem Bin Laden au Texas

Une réalité inimaginable en 1976 qui est encore l'année de l'innocence. Pourtant le tableau qui s'esquisse,
touche après touche, durant cette période révèle
d'étranges détails. Quelques mois seulement après le
rachat des avions de la CIA, Jim Bath devient l'agent aux
Etats-Unis d'un des proches amis de Khalid Bin Mahfouz. Son nom : Salem Bin Laden. Ce demi-frère d'Ousama gère l'immense fortune familiale de ses 53 frères et
sœurs, ainsi que le puissant groupe de construction
implanté à travers tout le Proche et le Moyen-Orient.
Le groupe Bin Laden, évalué à 5 milliards de dollars
(5,42 milliards d'euros), est si étroitement lié à la famille
royale saoudienne qu'il est même associé à des transac-
tions portant sur l'achat d'armement aux Etats-Unis. Ce
sera notamment le cas en 1986 où les Américains ven-
dront un système de défense aérien dont la maintenance
sera assurée par une société saoudienne, Al Salem, détenue par des membres de la famille royale et les Bin
Laden. Boeing, ITT, Westinghouse, qui sont les ven-
deurs, participeront même à hauteur de 4,5 millions de
dollars à la création d'Al Salem. Une commission à peine
maquillée. Détail important, les Bin Mahfouz et les Bin
Laden sont originaires de la même région du Yémen,
Hadramaut.

Salem Bin Laden charge Bath de sélectionner et faciliter d'éventuels investissements sur le sol américain. Une
des premières opérations portera sur l'achat de l'aéroport
Houston Gulf, dont Salem voulait faire un des principaux
aéroports américains. Il est surprenant d'imaginer qu'un
important aéroport du Texas, le fief des Bush, était la
propriété de la famille du futur chef terroriste.

Au début de l'année 1977, George Bush quitta la CIA.
La victoire de Jimmy Carter, à l'élection présidentielle
de novembre 1976, ne lui laissait guère le choix. Durant
sa campagne, le candidat démocrate avait à plusieurs
reprises porté des attaques très dures contre les services
de renseignements, mais aussi contre Bush lui-même.
« Carter avait avant tout, se souvient un de ses collaborateurs, une position morale. Or, à ses yeux, le monde de
l'espionnage était totalement corrompu, dépourvu de
principes. Il croyait naïvement que l'on pouvait boxer
contre un adversaire en respectant scrupuleusement les
règles du marquis de Queensberry. Quant à George Bush,
il incarnait à ses yeux toute l'arrogance de l'establishment de la Côte Est. C'était une véritable détestation. »
Et, de fait, la première rencontre entre les deux
hommes fut catastrophique. Bush se rendit à Plains en
Georgie, le fief du nouveau président, planteur de caca-
huètes. Il procéda à un exposé détaillé, évoquant longuement les principaux dossiers touchant à la sécurité
nationale. Carter paraissait totalement indifférent à ses
propos. Bush s'attacha ensuite à plaider sa propre cause :
en 1960 et 1968, rappela-t-il, les directeurs de la CIA
étaient restés en fonctions durant les phases de transition
présidentielle, c'est-à-dire entre novembre, jour de l'élection, et janvier, date effective de l'entrée en fonctions du
nouvel élu, et peut-être même au-delà. Carter répondit
sèchement qu'il n'était pas intéressé par cette solution.

« Cela implique donc ma démission », répondit Bush
d'une voix altérée. « C'est en effet ce que je souhaite »,
rétorqua Carter. Selon un témoin présent, cet entretien fut
un désastre.

Bush avait perdu son poste mais son avenir pourtant
n'apparaissait pas sous les couleurs les plus sombres. Il
était devenu, au début de l'année 1977, le président du
comité exécutif de la First National Bank de Houston.
Ses nombreux voyages en Europe et dans la région du
Golfe lui permirent de nouer ou de renforcer des liens
précieux avec des dirigeants politiques et d'importants
responsables du monde des affaires. « Il me faisait penser, confia un de ses proches, à Richard Nixon durant sa
traversée du désert. Redevenu avocat il avait sillonné le
monde, affinant son personnage, multipliant les contacts,
préparant son retour. »
Dans l'enchevêtrement des circuits du pouvoir, quel
est l'homme d'affaires qui ne serait pas intéressé par les
bénéfices qu'il pourrait retirer d'une collaboration étroite
avec un futur candidat à la vice-présidence, ou même à la
présidence ? Car l'horizon politique se trouve subitement
dégagé devant Bush. Le triomphe de Carter a plongé le
Parti républicain dans une crise profonde, et désormais
l'héritier de la Côte Est, devenu pétrolier au Texas, apparaît comme un candidat sérieux pour le futur ticket présidentiel lors des élections de 1980. Pourtant, le premier à
briguer les suffrages de l'électorat sera son fils aîné
George W. En 1978, il décide de se présenter au Congrès.
Il déroge au sacro-saint principe familial qui veut qu'on
n'entre en politique qu'après s'être taillé une réputation
solide dans les affaires.

« *Il lui manquait l'audace* »

En réalité, George W. Bush n'a et ne possédera jamais aucun sens des affaires. « Il lui manquait l'audace », selon un de ceux qui ont travaillé avec lui dans le pétrole. Mais, en revanche, ce qui ne lui fera jamais défaut c'est l'appui financier de sa famille et d'amis riches et puissants. Un cercle bienveillant qui ne cessera de s'élargir et veillera à ce que ses échecs successifs, et coûteux, se transforment toujours pour lui en opérations rentables.

Jim Bath, l'homme d'affaires des Bin Laden et l'associé de Bin Mahfouz, est financièrement à ses côtés durant la campagne de 1978. La défaite est cuisante, mais George Bush rebondit immédiatement en créant sa propre société pétrolière, Arbusto Energy, au début de l'année 1979. George W. agit à l'identique de son père. Mais ses résultats sont à l'opposé. L'aîné a accompli une guerre courageuse dans l'aviation ; son fils choisira également l'aviation mais traînera son ennui dans la garde nationale du Texas ; le père a fait fortune dans le pétrole avec sa compagnie Zapata, la dernière lettre de l'alphabet ; la société de son fils, Arbusto, première lettre de l'alphabet, sera d'extrême justesse sauvée de la faillite par des parents et amis dévoués.

Trois millions de dollars ont été investis dans Arbusto par la grand-mère de George W. ; le président d'une chaîne de drugstores, personnalité clé du Parti républicain à New York ; William Draper III, un financier ami de la famille, qui sera plus tard nommé à la tête de l'Export-Import Bank, un organisme clé pour garantir les exportations américaines à l'étranger. Dernier membre de ce tour de table : Jim Bath qui détient 5 % du capital. Un soupçon pèsera longtemps, et, malgré les démentis véhéments

de la Maison Blanche après les événements du 11 Septembre, le doute continue de peser : Bath n'était-il pas
qu'un prête-nom et l'argent investi n'appartenait-il pas en
réalité à Salem Bin Laden ?

En tout cas, le placement est financièrement désastreux
mais politiquement fructueux. Arbusto ne trouvera que
très peu de pétrole et ne réalisera jamais aucun profit,
mais entre-temps George Bush est devenu le vice-président de Roland Reagan. En 1982, George W. changera
le nom de sa compagnie, qu'il rebaptisa Bush Exploration
Oil Co. Rien ne change : les bons résultats n'arrivent
toujours pas mais les investisseurs, eux, se montrent toujours aussi complaisants. L'un d'eux, Philip Uzielli,
achète 10 % des actions de la compagnie en échange d'un
million de dollars, alors que, selon des évaluations géné-
reuses, l'ensemble de la société ne vaut pas plus de
380 000 dollars. Uzielli avait été en relation avec Bush
père, lorsqu'il était à la tête de la CIA, et fait fortune à
Panama. Il est également lié à l'avocat texan James Baker
qui deviendra en 1988 le secrétaire d'Etat de Bush et qui
occupe à l'époque les fonctions de secrétaire général de
la Maison Blanche.

Le million de dollars d'Uzielli ne réussira pas à rétablir
la santé chancelante de la firme. Et pourtant, en 1984, au
moment où Bush Exploration Oil est au bord du dépôt
de bilan, nouveau coup de pouce d'un destin décidément
bienveillant envers George W. Sa firme fusionne avec
Spectrum 7, une petite société pétrolière détenue par deux
investisseurs de l'Ohio. Les deux hommes semblent faire
toute confiance à leur nouveau partenaire, dont la trajectoire passée n'est pourtant ni encourageante ni rassurante,
puisqu'ils le nomment président du conseil d'administration et président-directeur général du nouvel ensemble,
tout en lui allouant 13,6 % de l'ensemble des actions.

« Pour comprendre les problèmes, estimait John Le Carré, suivez l'argent. » Le cas de George W. Bush en est une illustration saisissante. Tous ceux qui le financent parient en réalité sur son père. C'est le cas de William De Witt et Mercer Reynolds, les deux propriétaires de Spectrum 7. Supporters du vice-président, ils tablent sur son élection à la présidence en 1988. Un pari qui est loin d'être hasardeux. Mais en attendant cet avenir radieux et les appuis décisifs qui en découleront, ils doivent affronter la gestion désastreuse du fils. Spectrum 7 accumule les pertes catastrophiques. Durant le seul premier semestre 1986, elles se chiffrent à plus de 400 000 dollars, et tous les associés de George W. redoutent désormais que les créanciers ne retirent leurs avoirs restants, provoquant une faillite.

« Sa carrière résumée en un seul paragraphe »

« Il y a une chose que vous devez garder à l'esprit, écrit la journaliste Molly Ivins, quand vous examinez la trajectoire de George W. dans le pétrole : il n'a jamais créé ou trouvé une seule source de revenus, à moins que vous capitalisiez les dollars qui affluaient pour être engloutis dans les sous-sols texans. » Et elle ajoutait : « Sa carrière pétrolière peut être résumée en un seul paragraphe : il est arrivé à Midland [une banlieue de Houston] en 1977, a créé une première compagnie, perdu en 1978 une élection au Congrès, relancé une nouvelle compagnie, perdu plus de 2 millions de dollars appartenant à ses partenaires pendant que lui-même repartait de Midland avec 840 000 dollars en poche. »

C'était le fait le plus déroutant : tous ceux qui avaient été en affaire avec George W. avaient perdu leur mise, sauf lui. Plus étonnant encore : tout nouvel échec l'enrichissait chaque fois un peu plus.

En 1986, Harken Corporation vola au secours de Spectrum 7 en l'absorbant. Cette compagnie pétrolière de taille moyenne, basée au Texas, à Dallas, était décrite par *Time Magazine* comme « une des plus mystérieuses et déroutantes créations dans l'univers de l'exploitation pétrolière ». Là encore, même scénario immuable. George W. reçut 600 000 dollars, l'équivalent de 212 000 actions Harken, fut nommé au conseil de direction, et se vit attribuer un poste de consultant payé 120 000 dollars par an. La présence de Bush attira un nouvel investisseur qui acquit une large part du capital. Cette fois, il ne s'agissait plus d'une personne privée mais de Harvard Management Company, la société qui gérait et effectuait les investissements au profit de la prestigieuse université Harvard.

L'ancien président de Spectrum 7, Paul Réa, déclara plus tard : « Les dirigeants de Harken croyaient qu'avoir le nom de George serait d'une grande aide pour eux. » Pourtant, en 1987, la situation de Harken était devenue tellement intenable qu'elle dut négocier d'urgence une restructuration de sa dette. D'ordinaire une société en difficulté attire les prédateurs, flairant la bonne affaire et prêts à la racheter au meilleur coût. Dans le cas de Harken, les prédateurs, en effet, affluèrent, mais pour se pencher à son chevet avec une sollicitude inouïe. Tous avaient des liens étroits avec la BCCI.

Jackson Stephens, un banquier d'investissement de l'Arkansas, l'Etat dont Bill Clinton était gouverneur, avait joué un rôle déterminant dans l'implantation de cet établissement aux Etats-Unis, notamment en favorisant le rachat de la First National Bank de Washington. Il était très lié avec Abedi, le fondateur de la BCCI.

George W. se rendit à Little Rock en Arkansas pour le rencontrer, et, peu après, sa firme, Stephens Inc. vola au

secours de Harken en obtenant de l'Union des Banques
Suisses (l'UBS) un investissement de 25 millions de dollars, sous forme d'un prêt en *joint venture* avec la banque
de commerce et de placement, la filiale suisse de la
BCCI, implantée à Genève, et dont l'UBS détenait une
participation minoritaire. Il était pour le moins inhabituel
que l'UBS renfloue une petite compagnie pétrolière en
difficulté. A cette époque Bin Mahfouz, le banquier des
Bin Laden et de la famille royale saoudienne, était sur le
point de prendre le contrôle de 20 % de la BCCI. Un de
ses très proches amis, le Saoudien Sheik Abdellah Taha
Bakhsh, acquit 17,6 % de Harken, devenant ainsi son plus
important actionnaire. A cette époque, Khalid Bin Mahfouz semblait avoir fait du Texas et de sa proximité avec
la famille Bush deux pôles essentiels de ses activités.
Selon Jonathan Beaty et Gwyne, dans leur enquête « Outlaw Bank », le Saoudien effectua de nombreux investissements dans cet Etat, utilisant comme cabinet d'avocats
Baker et Botts, la firme appartenant à James Baker, l'ami
intime de George Bush qui deviendra quelques années
plus tard son secrétaire d'Etat et qui à l'époque gérait une
bonne partie des affaires de la famille Bush. En 1985,
Mahfouz racheta d'ailleurs la Bank Tower, un des plus
imposants gratte-ciel de Dallas, qui appartenait à la Texas
Commerce Bank, fondée et contrôlée par la famille
Baker. L'acquisition se chiffra à 200 millions de dollars,
soit 60 millions de plus que le coût de construction de
l'édifice, quatre ans auparavant. Une telle générosité était
d'autant plus inexplicable que les prix de l'immobilier, à
cette époque, s'étaient littéralement effondrés.

Les révélations sur les scandales de la BCCI, ce « véritable syndicat du crime », selon la formule d'un enquê-
teur, ne compromirent nullement la carrière de Stephens
et sa proximité avec les Bush. En 1988, sa femme

Mary Anne dirigea le comité de soutien à George Bush, en Arkansas, pendant que son mari pouvait se prévaloir d'appartenir au très fermé « club des 100 » regroupant les personnalités qui avaient versé plus de 100 000 dollars pour la campagne présidentielle du candidat républicain. En 1991, sa firme Stephens Inc. versa 100 000 dollars au cours d'un dîner destiné à lever des fonds pour financer la tentative de réélection de Bush père, un an plus tard. Tenace dans les affaires mais reconnaissant, il apporta également une contribution substantielle en 2001 pour la cérémonie marquant l'entrée à la Maison Blanche de George W.

Le 11 avril 2001, l'ancien président Bush effectua avec Stephens une partie de golf, sur le terrain qui portait en toute simplicité le nom du financier, le Stephens Youth Golf Academy, à Little Rock. Entre-temps, Bill Clinton, que Stephens avait également soutenu en son temps, avait quitté le devant de la scène et un Bush occupait de nouveau le bureau ovale. Au terme de cette partie, George Bush déclara en public : « Jack nous vous aimons et nous vous remercions beaucoup, beaucoup, pour tout ce que vous avez fait. »

Une plus-value de 848 560 dollars

Après le sauvetage de Harken, George W. s'installa à Washington, en 1988, pour participer à la campagne de son père. Il laissa un souvenir pour le moins mitigé. Il participa à des dîners avec des représentants de la droite républicaine la plus religieuse, pour lever des fonds, et à plusieurs reprises il s'accrocha violemment avec des journalistes auxquels il reprochait leur couverture partiale et hostile de la campagne menée par son père. Cela ne contribua pas à rehausser sa réputation.

« Chaque fils cherche à plaire à son père, et c'était le cas de George W. », rappelle Marlin Fitzwater, porte-parole de Bush père. Mais le futur président, durant cette campagne, manifesta une « anxiété œdipienne », selon un proche, allant jusqu'à confier qu'il préférerait que son père soit battu et se retire de la vie publique, en raison des très fortes attentes qui entourent l'entrée en politique d'un fils de président.

En janvier 1990, Harken Energy revint sur le devant de la scène. Une annonce laissa sans voix le monde des pétroliers. L'émirat de Bahreïn avait décidé d'octroyer à cette firme une importante concession pour l'exploitation du pétrole offshore, au large de ses côtes : une des zones les plus convoitées... Une décision incompréhensible : Harken était non seulement une petite firme n'ayant jamais opéré le moindre forage en dehors des Etats-Unis, mais elle ne possédait aucune expérience dans le domaine délicat de l'extraction offshore. Une seule explication, plausible, venait à l'esprit : la famille régnante de Bahreïn, souhaitait vivement faire plaisir à la famille Bush.

Pourtant, cette évidence ne recoupait pas totalement la réalité et, là encore, l'influence des réseaux de la BCCI avait pesé. Le Premier ministre de Bahreïn, Shekh Khalifa, frère de l'émir et actionnaire de la BCCI, avait activement soutenu le projet, tout comme l'ambassadeur américain en poste à l'époque dans l'émirat, Charles Holster, ancien de la CIA, promoteur immobilier à San Diego, qui avait versé une large contribution à la campagne présidentielle de George Bush. Holster était un associé de longue date de Mohammed Hammoud, un chiite libanais qui avait effectué plusieurs opérations importantes pour la BCCI aux Etats-Unis, et qui allait décéder quelques mois plus tard à Genève, dans des conditions demeurées troublantes.

L'ombre de Bin Mahfouz pesait lourd. Des informations concordantes indiquaient qu'il était intervenu auprès du roi Fahd d'Arabie Saoudite et de ses frères pour qu'ils fassent pression sur les dirigeants du petit émirat voisin, en faveur de Harken. En tout cas un fait est avéré : Bin Mahfouz, malgré la chute de la BCCI, et avant que l'on ne découvre ses liens avec Ousama Bin Laden et Al Quaeda, demeura un interlocuteur respecté pour Bush père, tout en restant l'associé sur plusieurs projets de la famille Bin Laden.

Autre similitude également troublante : dans les années 60, Bush père avait reçu lui aussi un appui inespéré, quand sa compagnie, Zapata, qu'un document officieux publié plus tard allait décrire comme ayant des liens avec la CIA, obtint un contrat lucratif, absolument identique : l'exploitation des premiers forages en eaux profondes au large du Koweit.

L'annonce de la faveur faite à Harken provoqua une flambée des actions de la société. Le 20 juin 1990, George W. vendit, à la surprise générale, les deux tiers de son stock. L'action valait alors 4 dollars. Il réalisa ainsi une superbe plus-value de 848 560 dollars. Huit jours plus tard, Harken annonça des pertes de 23 millions de dollars, et l'action dévissa de 75 %, finissant l'année autour de 1 dollar.

Moins de deux mois après, l'Irak envahissait le Koweit...

Commençons par trois anecdotes authentiques, ayant trait à la première crise du Golfe, en 1990-1991.

1. Quelques semaines après qu'elle eut éclaté, George Bush pénétra un soir à l'improviste dans le bureau de Brent Scowcroft, le chef du Conseil national de sécurité de la Maison Blanche. Scowcroft, un homme mince et réservé de soixante-cinq ans, au visage émacié, était un ancien général de l'US Air Force qui avait fait ses débuts en politique étrangère aux côtés de Henry Kissinger. Il était précis et pondéré, efficace et secret, le genre d'homme que Bush appréciait. Ils discutèrent de l'annexion du Koweit par Saddam Hussein et dressèrent des parallèles historiques. Tous deux tombèrent d'accord pour estimer que la comparaison la plus juste que l'on pouvait établir était avec celle existant en Europe lors de la montée en force du nazisme. Les deux hommes dialoguaient debout. Le bureau de Scowcroft, petit, exigu même, était situé dans une des ailes de la Maison Blanche. Bush s'approcha d'une des fenêtres et sembla fixer le mémorial Lincoln, éclairé par des projecteurs et qui ressemblait à un halo lointain.

— Brent j'ai une certitude. Quand, en septembre 1944, le bombardier que je pilotais a été abattu par les Japonais, je me suis demandé, alors que je flottais au milieu du Pacifique, pourquoi j'étais resté en vie. Maintenant j'ai compris : Dieu avait pour moi un projet.

2. Au début du mois de janvier 1991, Bush réunit ses principaux collaborateurs dans le Cabinet Room, adjacent au bureau ovale, autour de la table qui occupait la plus grande partie de la pièce.

— Si Saddam se retire du Koweit sans guerre, est-ce que ce serait une solution satisfaisante pour nous ? demanda Bush au chef d'état-major Colin Powell.

— Oui, monsieur le Président, répondit Powell, c'était l'objectif que nous poursuivions avec nos alliés. De plus, nous n'aurons pas à déplorer de pertes en hommes.

James Baker, le secrétaire d'Etat, assis à ses côtés, acquiesça. Cet avocat texan, très proche de Bush, cherchait à obtenir une victoire diplomatique. Négocier un retrait irakien aurait été pour lui un succès personnel qui lui aurait conféré une stature et un prestige considérables.

Brent Scowcroft prit alors la parole, et tout au long de son analyse le Président hocha la tête, approbateur.

— Vous ne réalisez pas que, s'il se retire, la situation deviendra intenable pour nous. Nous ne pourrons pas maintenir indéfiniment 500 000 hommes dans la région. Ce serait logistiquement impossible et, en plus, politiquement insupportable pour les Etats-Unis d'avoir à prolonger le stationnement de ces troupes. Le véritable cauchemar serait que Saddam Hussein se retire du Koweit, réintègre l'Irak, mais laisse ses troupes massées juste sur la frontière. Son armée pourrait demeurer positionnée ainsi indéfiniment, et menacer constamment le Koweit d'une nouvelle invasion.

— C'est vrai, enchaîna Bush. La coalition alliée doit avoir la chance de détruire l'armée de Saddam Hussein ou du moins de l'affaiblir suffisamment pour qu'elle ne constitue plus une menace dans un avenir proche.

3. Le 9 janvier 1991, James Baker et Tarek Aziz, le ministre irakien des Affaires étrangères, se retrouvèrent à Genève, à l'hôtel Intercontinental, pour une réunion de la dernière chance. Le tête-à-tête dura plus de six heures : sans résultat. Quand il devint clair qu'il n'y avait plus aucune possibilité d'aboutir à un quelconque accord, James Baker se pencha vers son interlocuteur :

— Je ne vois pas de raison de continuer, je suggère que nous ajournions.

Le ministre irakien ne marqua aucune surprise et répondit calmement :

— Je suis d'accord avec vous. Je n'ai rien d'autre à ajouter.

Les deux hommes étaient déjà debout, face à face. Au moment où ils allaient se séparer, Baker dit d'un ton grave :

— Etes-vous conscient qu'une guerre avec les Etats-Unis ne sera pas quelque chose de comparable à la guerre que vous avez livrée contre l'Iran ?

En effet, au bout d'une semaine d'opérations aériennes, les forces alliées avaient largué sur l'Irak deux fois plus de bombes que sur toute l'Allemagne durant la totalité de l'année 1944.

« Il ne voulait pas ressembler à Chamberlain »

Les scènes que nous venons d'évoquer traduisent l'extrême détermination d'un président et de son administration, conscients du danger que le dictateur de Bagdad faisait peser sur la région et même sur le monde. Personne n'a oublié la formule : « L'Irak, 4e armée du monde », lancée par le ministre de la Défense de l'époque, devenu aujourd'hui vice-président : Dick Cheney. Un succès planétaire en termes de désinformation. Il m'avait accordé, fin 1991, une longue interview, dans son vaste bureau du Pentagone, dont toutes les fenêtres donnaient sur le Potomac. C'était quelques mois avant son départ. Il travaillait assis derrière un imposant meuble de bois qui avait servi de bureau au général Pershing durant la Première Guerre mondiale. A un moment, au cours de notre entretien, je lui ai demandé : « Pensiez-vous sérieusement que l'Irak possédait la 4e armée du monde ? » Il est resté silencieux pendant un instant, un sourire flottant sur ses lèvres, puis il m'a répondu : « Je pense qu'en effet nous avons dû nous tromper quelque peu dans nos estimations. »

Un de ses collaborateurs confia à propos de Bush : « Il ne voulait à aucun prix ressembler à Neville Chamberlain, le Premier ministre britannique qui s'était montré complaisant envers Hitler. » Or, la vérité, soigneusement enfouie, révèle que George Bush, malgré les paroles fortes qu'il a pu prononcer durant la guerre du Golfe, a adopté pendant des années une position bien pire que celle de Chamberlain. Il ne s'est pas seulement montré complaisant envers le régime de Saddam Hussein et ses multiples exactions, mais il l'a armé, financé, soutenu, renforcé. Dans le plus grand secret. Comme l'a écrit l'éditorialiste américain William Safire : « C'est un scandale, cet abus systématique de pouvoir par des dirigeants d'une démocratie décidés à renforcer secrètement le potentiel militaire d'un dictateur. »

Saddam Hussein, comme Bin Laden lorsqu'il combattait contre les Soviétiques en Afghanistan, n'a pu exister et prospérer que par la volonté des Etats-Unis. Et avant tout de Bush et son équipe. Et ce constat aboutit à une question restée à ce jour sans réponse : sans le soutien militaire et les encouragements qu'il reçut des Etats-Unis,

Saddam Hussein aurait-il envahi le Koweit ? Dans une étude remarquable publiée dans *Columbia Journalism Review*, sur la couverture pour le moins timide de cet « Irakgate » par la presse américaine – à l'exception notable de Douglas Frantz et Murray Waas dans le *Los Angeles Times* –, l'auteur Russ Baker écrit notamment : « Lorsque le 2 août 1990 Saddam Hussein a envahi le Koweit, seule une poignée de journalistes se sont demandés où il avait bien pu se muscler à ce point militairement pour réaliser cette invasion. »

Tout commence en 1982. Ronald Reagan est à la Maison Blanche et George Bush à la vice-présidence. La guerre entre l'Iran et l'Irak, extraordinairement meurtrière, est commencée depuis déjà deux ans. En mai 1982, les Iraniens brisent l'offensive des forces irakiennes sur leur territoire et les obligent à un repli massif au-delà des frontières ; en juin, l'Iran lance à son tour une vaste offensive en territoire irakien. Les revers militaires de Bagdad inquiètent Washington et ses principaux alliés dans la région, les monarchies pétrolières du Golfe, qui redoutent soudain une défaite de Bagdad et un effondrement du régime de Saddam Hussein.

La première décision prise, cette année-là, par Washington, sera de retirer Bagdad de la liste des pays soutenant le terrorisme international. Une décision « totalement politique », selon Noël Koch chargé du programme de lutte contre le terrorisme au Pentagone. « Tous les rapports qui nous parvenaient indiquaient que Bagdad continuait avec la même intensité d'apporter son aide aux mouvements terroristes. »

Une situation restée inchangée six ans plus tard puisque, en 1988, le secrétaire d'Etat adjoint John Whitehead écrivait : « Malgré son retrait de nos listes, Bagdad

demeure un sanctuaire pour des terroristes bien connus. »
Et il citait notamment le cas d'Abul Abbas qui avait
détourné le paquebot *Achille Lauro*. Toujours en 1982, il
fut décidé d'envoyer à l'Irak des armes et du matériel
militaire, en les faisant transiter par des pays de la région,
alliés des Etats-Unis. Les cargaisons expédiées en Jordanie, en Egypte... et au Koweit, furent ensuite, secrètement, acheminées à Bagdad. Parmi les équipements reçus
par le régime de Saddam, on dénombrait 60 hélicoptères
Hughes « à usage civil », mais il suffisait de quelques
heures pour les transformer en engins de guerre, et des
hélicoptères Bell équipés pour« asperger les récoltes en
pesticides ».

Ces appareils servirent en 1988 à l'attaque chimique
menée par Bagdad contre le village kurde de Halabaya
qui fit plus de 5 000 morts dont un grand nombre de
femmes et d'enfants.

Un surprenant émissaire spécial

En décembre 1983, George Bush convainc Ronald
Reagan d'envoyer un émissaire spécial rencontrer Saddam Hussein. La guerre Iran-Irak ne cesse de gagner en
violence et en intensité. Le 19 décembre, l'émissaire
américain arrive à Bagdad, porteur d'une lettre manus-
crite de Ronald Reagan à l'intention de Saddam Hussein.
La rencontre entre les deux hommes sera longue et cor-
diale. « Le courant passait vraiment entre eux », déclara
un officiel irakien qui avait assisté à l'entretien. Rentré à
Washington, l'envoyé spécial du président américain
brosse un portrait louangeux de Saddam Hussein, au
point que, douze jours plus tard, un message transmis aux
dirigeants des pays du Golfe indique qu'une « défaite de
l'Irak dans sa guerre avec l'Iran serait contraire aux inté-

rêts des Etats-Unis qui ont pris plusieurs mesures pour éviter une telle issue ».

L'homme qui a si éloquemment plaidé la cause du dictateur irakien n'est autre que Donald Rumsfeld, l'actuel ministre de la Défense, partisan sans nuances, aujourd'hui, d'une guerre contre l'Irak et du renversement de Saddam.

En mars 1984, il retourne à Bagdad pour de nouveaux entretiens. Le jour même où il séjourne dans la capitale irakienne, les dépêches des agences de presse internationales révèlent que les Irakiens viennent d'utiliser des armes chimiques contre les forces iraniennes. On découvrira peu après qu'il s'agit de gaz moutarde. La veille, l'agence de presse iranienne avait fait état d'une autre offensive contre ses forces, au moyen d'armes chimiques, cette fois sur le front Sud. Plus de 600 soldats iraniens auraient été touchés par du gaz moutarde et du gaz Tabun. Plusieurs attaques du même type auront lieu par la suite.

En 2002, pour justifier sa volonté d'abattre militairement Saddam, le ministre américain de la Défense déclare : « Il hait les Etats-Unis et il possède des armes de destruction massive. Il les a utilisées contre son propre peuple, et il n'hésitera pas à les utiliser contre nous. » A ceux qui tentent de lui faire admettre qu'il n'existe pas de lien entre Al Quaeda et Bagdad et qu'il n'y a pas de preuves tangibles que l'Irak ait repris son programme de fabrication d'armes chimiques et biologiques, il rétorque : « L'absence d'évidence n'est pas l'évidence de l'absence. »

En 1984, il est vrai, il ne semble pas préoccupé par cette menace. Il ne fera pas la moindre déclaration à propos des attaques chimiques massives contre les forces iraniennes. En revanche, la diplomatie américaine, à la suite de sa visite, se montre, dans un communiqué,

« satisfaite des relations entre l'Irak et les Etats-Unis et suggère que des liens diplomatiques normaux soient renoués entre les deux pays ». Ce sera chose faite en novembre 1984. Deux ans plus tard, interrogé par le *Chicago Tribune* sur les actions dont il est le plus fier, Rumsfeld répond : « La reprise des relations avec l'Irak. »

Dès cette époque, la CIA et les autres services secrets américains collaborent étroitement avec leurs homologues irakiens, et, en 1986, le journaliste Bob Woodward révèle que la CIA a fourni aux Irakiens des renseignements qui leur ont permis de mieux « calibrer » leurs attaques aux gaz moutarde contre les troupes iraniennes. Dès cette époque, Bagdad bénéficie également des photos prises par les satellites de reconnaissance américains, qui leur sont d'une aide précieuse pour mieux « cibler leurs bombardements ».

Studeman, le directeur de la NSA qui contrôlait ces satellites, le reconnut volontiers après la guerre du Golfe. « Le problème, confia-t-il, a été de reconvertir un allié en ennemi. Durant la guerre Iran-Irak, nous étions clairement du côté des Irakiens, et nous nous sommes retrouvés ensuite extrêmement désavantagés. En effet, pendant plus de quatre ans, Saddam et ses collaborateurs ont eu accès à nos informations, à nos méthodes de collecte du renseignement et aux moyens que nous mettions en œuvre. Donc, au fond, c'est tous nos systèmes de sécurité qu'ils avaient pu ainsi pénétrer. »

A partir de la fin 1983, début 1984, George Bush prend officieusement en charge le dossier irakien, et l'aide apportée à Bagdad va prendre une ampleur accrue. Tout se déroule dans la plus complète opacité, et souvent même, comme nous le verrons, dans une totale illégalité.

Au début de l'année 1984, l'administration américaine donne son accord de principe pour la construction d'un pipe-line qui permettra d'acheminer le pétrole irakien vers les marchés mondiaux en toute quiétude, sans avoir à craindre le blocus naval et les attaques de la marine iranienne dans la zone du Golfe. Maître d'œuvre du projet, Bechtel Company, la plus grande entreprise mondiale de travaux publics et d'engineering : villes en Arabie Saoudite, parfois avec le groupe Bin Laden, pipe-lines en Alaska et en URSS, comme autrefois les gigantesques bases américaines au Vietnam. Bechtel est un groupe puissant, mais aussi influent. Son ancien président, George Schultz, est à l'époque secrétaire d'Etat, et son ex-directeur général, Caspar Weinberger, l'homme qui occupe le poste de ministre de la Défense. Le projet se heurte à deux obstacles : le financement, évalué à un milliard de dollars, et les garanties de sécurité. En effet, le pipe-line passera à moins de dix kilomètres de la frontière israélienne. Tel-Aviv considère Saddam comme un de ses pires ennemis et pourrait être tenté de saboter ou de détruire l'oléoduc. Au terme de longues négociations, où Bush jouera un rôle important, le gouvernement israélien prend l'engagement secret de ne pas endommager le pipe-line s'il est construit.

Le problème du financement est délicat : exsangue, privé de crédits, Saddam Hussein souhaite faire financer le projet par l'Export-Import Bank américaine qui garantit les crédits à l'exportation. Malgré le lobbying du Département d'Etat, les responsables de cet organisme refusent en écrivant dans un mémo : « Ex-Import s'oppose aux prêts à l'Irak parce qu'elle considère que ces prêts n'offrent pas de garanties raisonnables de remboursement. »
En juin 1984, Bush entre en scène, téléphonant directe-

ment au président de l'Export-Import Bank. Il s'agit d'un de ses plus proches amis, William H. Draper III, avec qui il était à l'université de Yale. Draper possède également un autre titre de gloire : il fait partie de ce groupe de « philanthropes » qui ont financé à fonds perdus Arbusto, la compagnie pétrolière de George W.

Une semaine plus tard, la banque approuve le versement d'un prêt garanti de 500 millions de dollars destinés au projet. Celui-ci est finalement abandonné par Bagdad, mais l'Export-Import Bank, décidément prête à voler au secours de l'Irak depuis l'intervention de Bush, fournit, en juillet 1984, 200 millions de dollars en crédits à court terme à Bagdad. Quelques mois plus tard, les Irakiens ne peuvent rembourser une échéance de 35 millions de dollars, et l'établissement bancaire suspend ses versements ; ceux-ci ne reprendront qu'après une nouvelle intervention pressante de Bush. Il est utile de préciser que les défauts de paiement constatés par l'Export-Import Bank sont toujours supportés par les contribuables américains.

Un système identique est mis en place pour les exportations agricoles. Entre 1983 et 1990, les Etats-Unis exportent vers l'Irak des produits agricoles, financés pour une large part grâce à des prêts totalisant 5 milliards de dollars garantis par Washington. Un officiel américain résume d'une phrase cette situation : « Nous fournissons aux Irakiens toute la nourriture dont ils ont besoin, à des prix subventionnés. »

La réalité, là encore, est quelque peu différente de cette affirmation. Un premier prêt garanti par le ministère de l'Agriculture, soit 402 millions de dollars, est octroyé à la fin de l'année 1983 ; en 1984, nouveau prêt de 513 millions de dollars cette fois. L'Irak, en fait, deviendra durant toutes ces années le plus gros bénéficiaire à travers le monde du programme américain de crédits aux exportations alimentaires, le Credit Commodity Corporation. Une nouvelle fois grâce à George Bush. Seul problème mais de taille : une bonne partie de ces crédits, au lieu de faciliter l'achat d'aliments, vont permettre à l'Irak de procéder à d'importants achats d'armes.

« Des irrégularités »

Le système mis en place révèle en effet d'étranges ramifications.

Le 4 août 1989, le FBI et le service des douanes effectuent une perquisition à Atlanta, en Georgie, au siège de la succursale de la Banca Nazionale del Lavoro (BNL), la plus grande banque italienne, toujours contrôlée par l'Etat. L'état-major, en Italie, reconnut sobrement que des « irrégularités » semblaient avoir été découvertes dans cette filiale. Le mot était faible. L'antenne d'Atlanta de la BNL avait, au cours de ces années, consenti à l'Irak 4 milliards de dollars de prêts non autorisés, dont 900 millions étaient garantis par le ministère américain de l'Agriculture. Selon les recoupements des enquêteurs, plus d'un milliard de dollars, sur le montant total, ont servi à financer un réseau de sociétés écrans qui permettaient à l'Irak d'acquérir secrètement de la haute technologie militaire et des armes qui seront utilisées durant la guerre du Golfe. Le choix de la Banca Nazionale del Lavoro ne devait rien au hasard. Les Irakiens avaient longtemps travaillé avec cet établissement, tout comme ils avaient fréquemment coopéré avec la BCCI. Or, les deux banques avaient réalisé de nombreuses opérations en commun, notamment à travers la fameuse agence d'Atlanta. La Federal Reserve nota d'ailleurs, dans un des rapports, que la BCCI avait même à plusieurs reprises déposé à la BNL d'Atlanta des fonds provenant de filiales étrangères en vue d'opérations aux Etats-Unis. Mais certains faits se révélaient encore plus troublants.

George Bush est devenu entre-temps président, et un de ses plus proches collaborateurs a eu des liens à la fois avec la BCCI et la Banca Nazionale del Lavoro, un homme également directement impliqué dans tous les aspects du dossier irakien. Il s'agit du chef du Conseil national de sécurité de la Maison Blanche, Brent Scowcroft.

Il a travaillé pour le cabinet de consultant de Henry Kissinger, dont l'un des clients était la Banca Nazionale del Lavoro. Et Scowcroft était justement en charge du dossier. Il a également été un actionnaire important de la First National Bank de Washington, acquise par la BCCI dans des conditions douteuses, et il entretenait d'étroites relations, au Pakistan, avec le Premier ministre Nawaz Sharif, grand ami d'Abedi, le fondateur de la BCCI.

A Rome, les dirigeants de la Banca Nazionale del Lavoro prétendent que le responsable de leur agence d'Atlanta, Christopher Drogoul, a pris seul l'initiative de ces vastes transferts de fonds, sans en référer une seule fois à ses supérieurs. C'est évidemment une pure fiction, mais personne ne souhaite que l'on puisse prouver le contraire. Au début de l'année 1990, l'Attorney général (ministre de la Justice américain), Dick Thornburgh, interdit aux enquêteurs américains de voyager de Rome à Istanbul pour poursuivre l'enquête. Il est peu probable qu'il ait pris une telle décision sans en avoir d'abord référé à celui qui l'avait nommé, le président Bush.

« Nous sommes tous unis dans cette affaire »

Christopher Drogoul, coupable commode sur la tête duquel pèsent 387 chefs d'inculpation qui furent réduits ensuite à « seulement » 287, confia qu'il avait eu une conversation avec le directeur du ministère irakien de l'Industrie et de la Production militaire qui lui avait déclaré : « Nous sommes tous unis dans cette affaire. Les services de renseignements du gouvernement américain travaillent très étroitement avec les services de renseignements du gouvernement irakien. » Plusieurs documents révélaient l'existence de firmes américaines, financées pour certaines par la BNL et dirigées par des hommes qui entretenaient d'étroites relations avec les services secrets américains. C'était notamment le cas de RD & D International of Vienna, installée en Virginie et qui opérait pour l'Irak.

« Il était tout de même naïf de penser, déclara un observateur, qu'un dollar donné à l'Irak pour acheter de la nourriture serait utilisé à autre chose qu'à acheter des armes. »

Elu président des Etats-Unis le 4 novembre 1988, George Bush était entré effectivement en fonctions le 4 janvier 1989. Mais s'il existait un dossier qu'il n'avait jamais relégué au second plan, même pendant sa campagne électorale, c'était bien celui de l'Irak. Au début de l'année 1987, en mars très exactement, il reçut longuement à la vice-présidence l'ambassadeur irakien Nizar Hamdoom, pour l'informer du succès de ses interventions : le gouvernement irakien allait pouvoir acquérir du matériel militaire américain, à la technologie hautement sensible. Durant le mois qui suivit, des équipements d'une valeur de 600 millions de dollars furent transférés à Bagdad. Sur le papier cette technologie avait un double usage, civil et militaire, mais personne à Washington ne se faisait la moindre illusion sur leur utilisation finale.

Là encore, George Bush exerça de fortes pressions sur l'Export-Import Bank pour la convaincre d'accorder un nouveau prêt de 200 millions de dollars à l'Irak.

A cette époque les réticences étaient devenues très fortes. A la fin de l'année 1986, toutes les projections s'accordaient à évaluer la dette irakienne à plus de 50 milliards de dollars. Deux économistes de l'Export-Import Bank avaient rédigé un rapport alarmiste estimant que « même nos évaluations les plus optimistes indiquent que l'Irak sera incapable de rembourser le service de sa dette au cours des cinq prochaines années ». Les experts recommandaient à l'Export-Import Bank « de se tenir à l'écart de tout programme ou projet concernant l'Irak ».

Au début du mois de mars 1987, Bush téléphona directement au nouveau directeur de l'Export-Import Bank, John Bohn : « Je vous demande, lui dit-il notamment, à vous et à vos collègues du conseil de direction, de prendre rapidement une décision favorable. » Il aurait ensuite ajouté : « Comme vous le savez, des considérations essentielles de politique étrangère sont liées à ce dossier. L'Irak a apparemment stoppé la dernière offensive iranienne, et nous allons en profiter pour relancer nos initiatives de paix. L'appui apporté par l'Export-Import Bank au commerce avec l'Irak serait un puissant signal envoyé à Bagdad et aux Etats du Golfe, montrant l'intérêt que portent les Etats-Unis à la stabilité de cette région. »

Peu après, un prêt à court terme de 200 millions de dollars fut accordé. Durant son entretien avec l'ambassadeur irakien, Bush précisa que les Etats-Unis étaient prêts à envisager d'autres ventes de matériels militaires hautement sophistiqués. Les centaines de listes de licences à l'exportation élaborées par le ministère du Commerce pour les ventes portant sur 600 millions de dollars de technologie ont révélé qu'une grande partie de ce matériel avait été utilisé par Saddam pour développer ses programmes d'armes nucléaires, chimiques et biologiques.

A partir de cette période, les Irakiens vont se livrer à un véritable chantage envers les Américains, comme l'indique un responsable de la Federal Reserve qui précise que Bagdad n'accepte de rembourser ses créanciers qu'à condition que ceux-ci leur accordent de nouvelles lignes de crédit plus importantes.

Le 16 mars 1988, les forces irakiennes lancent une attaque au gaz contre le village kurde de Halabaja, tuant plus de 5 000 personnes. Cet épisode est constamment évoqué par l'actuelle administration de George W. Bush pour justifier le renversement de Saddam Hussein. Pourtant, à l'époque, Bush père ne manifeste publiquement aucune indignation devant ce crime perpétré à l'aide d'hélicoptères américains. Un silence américain qui est rapidement récompensé : quatre mois plus tard, le géant américain de la construction, Bechtel, si proche des dirigeants républicains, est choisi par les autorités irakiennes pour assurer la construction d'une imposante usine chimique. Sa mise en activité aurait permis au régime de Saddam Hussein de fabriquer des armes chimiques. Au milieu de l'année 1989, un rapport confidentiel du ministère de l'Agriculture révèle que des officiels irakiens ont reconnu que les fonds alloués à l'achat de produits agricoles ont été détournés vers des objectifs militaires.

Un prêt de un milliard de dollars

Quelques mois plus tard, le scandale de la Banca Nazionale del Lavoro commence à émerger. Pourtant, le 26 octobre 1989, George Bush prend une décision aux conséquences dramatiques, révélée par Douglas Frantz et Murray Waas. Il élabore et signe une directive de sécurité nationale, totalement secrète, la NSD 26, qui prévoit le renforcement de l'aide à l'Irak et la collaboration des agences fédérales.

Neuf mois avant l'invasion du Koweit, Bush veut accorder à Saddam un nouveau prêt de un milliard de dollars, en utilisant une nouvelle fois le programme des prêts garantis du ministère de l'Agriculture.

Affolé par l'enquête qui se déroule au sein de la filiale de la BNC à Atlanta, et qui le met en cause, le ministère de l'Agriculture tente d'abaisser le prêt de un milliard de dollars à 400 millions. Ce montant paraît encore trop élevé aux responsables de la Federal Reserve et du ministère des Finances qui conseillent de suspendre tout prêt à Bagdad. « Les chances de récupérer cet argent, estime un rapport, vont de zéro à très peu. »

Quelques jours plus tard, alors que tous les clignotants financiers sont au rouge, le ministre irakien des Affaires étrangères, Tarek Aziz, arrive à Washington. L'homme de confiance de Saddam Hussein, dès sa première rencontre avec James Baker, au Département d'Etat, confère une tonalité menaçante aux discussions. Il explique que l'Irak s'inquiète à l'idée de recevoir moins que le milliard de dollars, et si tel était le cas, les relations entre les deux pays deviendraient « tendues ».

C'est un véritable chantage, exprimé sur un ton absolument péremptoire sur le fond mais courtois dans la forme.

Tarek Aziz est passé maître dans cet exercice de haute virtuosité.

James Baker lui promet qu'il va se plonger immédiatement dans le dossier. Après une longue rencontre avec George Bush, il appelle au téléphone le ministre de l'Agriculture, Clayton Yeuter, pour lui demander de revenir sur l'opposition de son ministère et de rétablir le prêt de un milliard de dollars en lui déclarant notamment : « Votre programme est crucial pour nos relations bilatérales avec l'Irak » ; ajoutant peu après : « Franchement, nous ne nous engagerions pas sur un tel projet si nous possédions des preuves substantielles qui révéleraient que des officiels irakiens de haut rang ont violé les lois américaines. »

C'est un propos empreint d'un cynisme absolu, mais qui ne réussit pas à apaiser les craintes. Bush et ses collaborateurs devront batailler encore quelques jours avant de trouver un compromis qui calmera les inquiétudes de la Federal Reserve et du ministère des Finances qui rappellent avec insistance que l'Irak n'a pas remboursé plusieurs de ses créanciers étrangers. Le 8 novembre 1989, le milliard de dollars est enfin octroyé, mais il est décidé que les versements auront lieu en deux parties. Le premier interviendra immédiatement, et le second aura lieu si aucun événement nouveau et fâcheux ne surgit dans l'enquête en cours sur les agissements de la Banca Nazionale del Lavoro.

Baker donne l'ordre de transmettre la « bonne nouvelle » à Tarek Aziz. Deux jours plus tard, l'ambassadeur américain à Bagdad, April Glaspie, reçoit un télégramme confidentiel du Département d'Etat ; celui-ci la charge de faire parvenir à Aziz un message personnel de James Baker lui indiquant que la « décision prise reflète l'importance que nous attachons à notre relation avec l'Irak ».

Pourtant, Baker et Bush ne peuvent ignorer la teneur d'un rapport rédigé par des experts du Département d'Etat, et qui déclare notamment : « Les leaders irakiens, grisés par l'importance de la technologie dans leur victoire contre l'Iran, croient désormais que les technologies militaires avancées, bombes et missiles, ainsi que la capacité nucléaire et les armes chimiques et biologiques, sont la clé du pouvoir militaire. »

Durant la même période, tous les rapports des services de renseignements qui parviennent sur le bureau ovale de la Maison Blanche indiquent un renforcement inquiétant du potentiel militaire irakien.

Un rapport confidentiel sur l'état de l'économie irakienne, rédigé par l'un des banquiers les plus influents du Moyen-Orient, a également été transmis aux responsables américains. Il rappelle d'abord qu'entre 1972 et 1980, « année où débuta la guerre contre l'Iran, les revenus pétroliers annuels de l'Irak étaient passés de un milliard de dollars à 25 milliards de dollars ». Mais il se montrait extrêmement pessimiste à l'orée de l'année 1990 : « C'est ma triste tâche que de démontrer que la situation, sous le gouvernement actuel, peut seulement empirer. » Il insistait sur le fait que l'énorme dette accumulée, dont Bagdad ne pouvait même pas payer les intérêts, « allait conduire à une politique téméraire, dangereuse, d'emprunts à des taux effectifs, excédant 30 % l'an ». Le dernier paragraphe de son rapport était encore plus intéressant, car il présentait avec une remarquable lucidité ce qui allait arriver : « Saddam Hussein est maintenant tout à fait au courant de sa situation financière. Quelles sont les options qui s'offrent à lui en Irak même ? Elles sont peu nombreuses. Mais il y a toujours le Koweit, situé à quelques kilomètres de son armée oisive, massée sur le Chatt-Al-Arab. L'Irak a besoin d'un accès aux eaux ouvertes du Golfe. »

L'argent octroyé par l'administration américaine ne
fournit qu'un court répit à Saddam qui ne manifeste pas
la moindre gratitude. Pourtant le tribut ainsi versé au dictateur irakien, en armes et en crédits, est particulièrement
lourd.

En février 1990, Bagdad a déjà épuisé les 500 millions
de dollars qui constituent la première partie du prêt et
réclame avec insistance le versement de la seconde
tranche.

Le même mois, le 23 février, Saddam Hussein se rend
à Amman pour le premier anniversaire du Conseil de
coopération arabe. Le leader irakien face à quelques-uns
de ses pairs tint des propos violemment antiaméricains.
« N'est-ce pas Washington, dit-il, qui aide l'émigration
des Juifs soviétiques vers Israël ? N'est-ce pas l'Amérique qui continue de faire patrouiller ses navires dans le
Golfe, malgré la fin du conflit entre l'Iran et l'Irak ? »
Pour Saddam Hussein, les raisons de ce comportement
étaient claires : « Le pays qui exercera la plus grande
influence sur la région, le Golfe et son pétrole, consoli-
dera sa supériorité en tant que superpuissance sans que
quiconque puisse rivaliser avec lui. Cela démontre que si
la population du Golfe, et au-delà tout le monde arabe,
n'est pas vigilante, cette zone sera gouvernée selon les
vues des Etats-Unis. Par exemple, les prix du pétrole
seront fixés de manière à bénéficier aux intérêts américains, tout en ignorant les intérêts des autres. » Il suggère
également que l'argent du pétrole, investi à l'Ouest, soit
retiré afin d'infléchir la politique américaine.

Cette violente diatribe laisse Bush et ses collaborateurs
« totalement assoupis », selon la formule d'un membre
du Conseil national de sécurité de l'époque.

Le 2 avril, Saddam prononce devant les cadres de son
armée un discours qui fut retransmis intégralement à la

radio. Vêtu d'un uniforme kaki, tête nue, arborant les insignes de général, il parle pendant plus d'une heure, mais quelques-unes des phrases prononcées frappèrent de stupeur le monde entier. Evoquant les résultats obtenus par des chercheurs irakiens qui venaient de mettre au point de nouvelles armes chimiques, il ajouta : « Par Dieu, si Israël tente quoi que ce soit contre l'Irak, nous ferons en sorte que le feu ravage la moitié de ce pays... Ceux qui nous menacent par la bombe atomique, nous les exterminerons par l'arme chimique. »

Ces propos parvinrent le jour même sur le bureau de James Baker. Le secrétaire d'Etat, troublé par l'agressivité de Saddam, écouta attentivement les suggestions de ses plus proches collaborateurs. Elles étaient essentiellement au nombre de trois : suppression des crédits de l'Export-Import Bank, annulation du programme financé par le ministère de l'Agriculture et, enfin, interdiction d'importations par le régime de Saddam Hussein de « matériel à usage potentiellement militaire ».

Ces mesures – mais les hauts fonctionnaires l'ignoraient –, impliquaient le démantèlement total de tout le dispositif d'aide mis en place par Bush et Baker en faveur de l'Irak.

Le Président livra son sentiment sur les menaces proférées par Saddam Hussein. Il le fit à bord du Boeing présidentiel Air Force One qui l'emmenait à Atlanta et Indianapolis. Il utilisa des mots vagues qui reflétaient son embarras : « Je trouve que ces déclarations sont très mauvaises. Je demande sans attendre, à l'Irak, de rejeter l'usage des armes chimiques. Je pense que cela n'aiderait ni le Moyen-Orient, ni les intérêts de l'Irak en matière de sécurité ; je dirais même que cela produirait l'effet contraire. Je suggère que de tels propos, sur l'usage des armes chimiques et biologiques, soient oubliés. »

« Oubliés » ! Le mot revêt une ironie amère. Saddam n'a cessé d'envoyer des signaux de plus en plus alarmants à Washington. Il a utilisé massivement des armes chimiques contre les Iraniens, puis contre son propre peuple, provoquant des milliers de victimes civiles, mais George Bush prêche l'oubli, alors que la menace irakienne ne cesse de grandir. Douze ans plus tard, son fils développera le raisonnement inverse, alors que la plupart des rapports confirment que Bagdad n'est plus en mesure de produire, du moins sur une grande échelle, ces armes de destruction massive qui inquiétaient si peu son père.

« Une attaque contre le Koweit est devenue probable »

Au début du mois de mai, deux signaux alarmistes parviennent à Washington. Aucun officiel n'est prêt à les prendre en compte. Il y eut d'abord un message surprenant de la CIA, envoyé à la Maison Blanche. L'agence indiquait que les informations en sa possession révélaient qu'une « attaque irakienne contre le Koweit était devenue probable ». L'information fut accueillie avec un profond scepticisme et ne modifia pas la ligne officielle.

Une délégation d'experts militaires et politiques israéliens arriva peu après dans la capitale fédérale. Les analyses qu'ils développaient étaient sombres : le caractère supposé modéré et réformateur du régime irakien était juste, selon eux, de la poudre aux yeux. Entre février et maintenant, ajoutaient-ils, Saddam Hussein n'avait cessé de durcir ses positions : il avait réclamé le départ des navires américains croisant dans le Golfe et demandé aux Arabes de réactiver l'arme du pétrole ; il ne s'était pas contenté de menacer Israël, le principal allié de l'Amérique dans la région, il évoquait l'utilisation d'armes chimiques. Enfin, le renforcement constant et impressionnant de son appareil militaire était un signe supplémentaire de sa volonté agressive.

Les Israéliens échouèrent à faire partager leurs craintes. Certains de leurs interlocuteurs attribuaient le ton irakien à la crainte d'un nouveau raid israélien contre les usines fabriquant des armes chimiques, après la destruction par l'aviation de Tsahal, en 1981, de la centrale nucléaire d'Osirak.

Un étrange aveuglement dominait, et l'aide financière et militaire américaine à l'Irak se poursuivait, tandis que l'enquête du FBI sur les agissements de la Banca Nazionale del Lavoro était freinée.

Les firmes ayant transféré de la technologie militaire à l'Irak, avec l'accord du gouvernement, étaient pour certaines d'entre elles fort connues : Hewlett-Packard et Tektronix notamment. On trouvait aussi le nom de Matrix Churchill, une compagnie contrôlée par les Irakiens et installée dans l'Ohio. Comme l'écrivait Thomas Flannery, de l'*Intelligence Journal* : « Si les troupes américaines et irakiennes s'affrontent dans la région du Golfe, les armes et la technologie indirectement vendues à l'Irak seront utilisées contre nos forces. »

Le 29 mai, des responsables de la CIA, du Conseil national de sécurité et des ministères de la Défense, de l'Agriculture, du Commerce, des Finances et du Département d'Etat, se réunirent dans la Situation Room, une salle de conférence spécialement aménagée dans les sous-sols de la Maison Blanche, où les conversations sont protégées de toute interception et qui dispose d'un équipement informatique extraordinairement sophistiqué, permettant, dans l'instant, d'être relié avec n'importe quel point du globe.

La plus grande partie de cette rencontre est curieusement consacrée aux prolongements et rebondissements de l'affaire de la BNL. Un rapport interne de la CIA révélait que l'agence savait depuis longtemps que la filiale d'Atlanta effectuait des prêts non autorisés à l'Irak. De même, à la fin de 1989, les responsables italiens de la BNL avaient rencontré longuement l'ambassadeur américain à Rome pour demander que Washington s'efforce de réduire l'ampleur du scandale.

Les hommes réunis dans la Situation Room se montraient beaucoup plus inquiets des retombées de cette affaire que de la menace croissante irakienne. A l'issue de la rencontre, aucune proposition ne fut d'ailleurs avancée, sauf l'idée d'un message personnel que le président américain ferait passer à Saddam Hussein pour lui demander d'infléchir sa rhétorique belliqueuse.

Cette timide proposition ne reçut aucun écho de la part de Bush. Plus incroyable encore, vers la fin du mois de juillet 1990, quelques semaines avant que les troupes irakiennes n'envahissent le Koweit, les responsables du Conseil national de sécurité de la Maison Blanche, Brent Scowcroft en tête, et James Baker au Département d'Etat, exerçaient de très fortes pressions pour que la seconde partie du prêt d'un milliard de dollars soit débloquée en faveur de Bagdad, en dépit des preuves multiples que cette aide avait été utilisée pour financer l'achat de matériels militaires et l'acquisition de technologies en vue de renforcer le programme d'armes nucléaires et de missiles balistiques irakiens.

La crise du Golfe et la guerre contre l'Irak plaça évidemment Bagdad en défaut de paiement, et 2 milliards de dollars, correspondant à des prêts irrécupérables, furent supportés par les contribuables américains.

Mais il fallut attendre octobre 1992 et les résultats d'une enquête menée par le Sénat américain pour découvrir l'impensable. Entre février 1985 et le 28 novembre 1989, au moins 61 livraisons de cultures biologiques

avaient été expédiées vers l'Irak. Ces envois compre-
naient notamment 19 containers de bactéries de l'anthrax,
fournis par American Type Culture Collection Company,
une société installée à proximité du laboratoire de Fort
Detrick, contrôlé par l'armée américaine, et dont les
laboratoires travaillaient sur les armes biologiques
« sensibles ». Quinze doses de *Clostridium Botalinium*
(toxine botulique) avaient été fournies aux laboratoires
militaires de Saddam par la même société, entre le
22 février 1985 et le 29 septembre 1988. L'UNSCOM
(l'organisme chargé des inspections en Irak) découvrit
également que l'Amérique avait fourni un grand nombre
d'agents biologiques à l'Irak.

Des chargements d'*Histoplasma Capsulatum*, un agent
pathogène de classe 3 (causant une maladie relativement
similaire à la tuberculose), furent livrés le 22 février et
le 11 juillet 1985 à Bagdad. Un autre agent de classe 3,
la *Brucella Melentensis*, fut envoyé en mai et août 1986.

Le 1er janvier 1991, George Bush était revenu à la Maison Blanche après avoir passé quelques jours à Camp
David où il avait reçu l'évêque Browning, chef de
l'Eglise épiscopalienne qui suggérait de laisser passer
encore du temps avant de s'engager dans une guerre.
Bush lui avait répondu, presque excédé : « Lisez ce rapport, voyez ce que fait l'armée de Bagdad. Où étaient les
églises quand Hitler déportait les Juifs polonais ? »

A peine arrivé à la Maison Blanche, il entraîna Brent
Scowcroft et John Sununu, le secrétaire général de la Présidence, dans ses appartements et leur confia : « J'ai
désormais résolu tous mes problèmes moraux. Les choses
sont noires et blanches. C'est la lutte du bien contre le
mal. »

Quand son père fut élu président, en 1988, George W. commença à s'interroger sérieusement sur son avenir. Il demanda à plusieurs collaborateurs de son père de lui rédiger une étude sur le destin des fils de présidents américains. Ces 44 pages passaient en revue les trajectoires familiales et professionnelles de tous ces hommes, et s'intitulait sobrement : « Tous les enfants de présidents ».

Un destin retint plus particulièrement l'attention de George W., celui de John Quincy Adams, le 6e président des Etats-Unis qui succéda, vingt-quatre ans plus tard, à son père John Adams, 2e président américain. L'étude précisait aussi que les deux frères de John Quincy avaient sombré dans l'alcoolisme et que l'un de ses fils s'était suicidé.

George W., qui reconnut avoir eu jusqu'à quarante ans un penchant prononcé pour l'alcool, fut également vivement intéressé par certaines suggestions contenues dans le rapport.

« Curieusement, écrivaient ses auteurs, la politique est une des professions où un fils de président s'expose le moins aux critiques. Qu'il obtienne un emploi de journaliste et l'on prétendra que c'est grâce aux relations de son père ; qu'il soit élu au Congrès et on l'attribuera à ses mérites. Historiquement, poursuivait l'étude, trois facteurs dynamiques doivent se conjuguer quand un fils de

président décide de se lancer dans une carrière politique
réussie.

« a. La présidence (du père) doit être vue comme un
succès, ou en tout cas ne pas apparaître comme un échec.

« b. La famille doit se montrer unie face à cette
décision.

« c. Cette carrière devra être lancée rapidement, pendant que le Président est au pouvoir. »

George W. fit détruire tous les exemplaires de ce rapport, mais il est fort probable qu'il influença ses choix
puisqu'il décida, en 1990, de se présenter au poste de
gouverneur du Texas, alors que son père était à la Maison
Blanche. Il fut battu mais témoignait désormais d'une
détermination et d'une constance dont il n'avait jamais
fait preuve jusqu'alors.

A la différence de son père qui fut profondément
affecté par sa défaite, en 1992, sombrant dans la morosité
et la dépression, il ne semblait ni entamé ni déstabilisé.
Après avoir été battu, en 1990, il remercia ses collaborateurs en ajoutant : « Maintenant il est temps de bouger ».
Il tournait la page sans difficulté, « indifférent, selon un
de ses proches, à ce que l'on pouvait dire ou penser de
lui ».

La dynastie tranquille

La décision de commander ce rapport révélait également quelque chose de plus profond : l'héritage familial,
le poids dynastique pesant sur toutes ses décisions. Ce
qu'il avait accompli jusqu'ici était étroitement lié à son
nom et aux relations familiales. « Dans quelle mesure,
écrivait un observateur, était-il un homme disposant de
ses choix et de son destin ? »

Répondre par la négative semblait une évidence. Pourtant, le constat méritait d'être plus nuancé. Sa famille, grâce à ses appuis et à ses protections, lui avait permis à son tour de s'enrichir (de façon probablement imméritée) comme son père et son grand-père, pour pouvoir se lancer ensuite dans une carrière politique. Et, paradoxalement, c'est dans ce domaine, où il succédait pourtant à son père, qu'il allait véritablement s'émanciper, acquérant une indépendance de caractère et de jugement qui semblait jusqu'ici lui avoir fait défaut.

« Le bien ne fait pas de bruit ; le bruit ne fait pas de bien. » Cette formule d'un maître des forges français, au début du siècle, s'applique parfaitement aux Bush. Malgré les dénégations de George Bush, « nous ne sommes pas une dynastie et je déteste ce mot », les Bush incarnent « la dynastie tranquille » de l'Amérique, comme les a qualifiés le magazine *Time*. Depuis quatre générations ils baignent dans la richesse et l'influence. Modestes et discrets en surface, ils sont prudents, pondérés et parfaitement corrects. L'exact opposé des Kennedy qui étaient flamboyants, sexy et provocants. Selon un journaliste, « Jackie Kennedy rendait glamour le plus hideux des chapeaux ; Barbara Bush, elle, ressemble à ses colliers de perles ».

Pourtant on aurait tort de voir en cette femme aux cheveux blancs un personnage falot. C'est au contraire le caractère le plus affirmé de cette famille, et George W. a hérité de plusieurs de ses traits : une certaine dureté, une volonté insensible aux nuances, une attitude morale où tout est vu en noir ou blanc, une véritable confiance en l'instinct et une méfiance sans borne pour l'introspection, enfin une incapacité congénitale à supporter les imbéciles.

Au début de l'année 2002, George W. reçut le Premier ministre britannique Tony Blair dans son ranch de Crawford, au Texas, et se livra à un exercice qu'il ne pratique que rarement : exprimer le fond de sa pensée. Il confia en effet aux journalistes : « J'ai expliqué au Premier ministre que la politique suivie par mon gouvernement visait au renversement de Saddam. » Puis il ajouta : « Je devrais peut-être me montrer moins direct et plus nuancé et déclarer que nous soutenons un changement de régime. »

Pour tous les familiers des Bush, c'était typiquement un comportement qu'aurait pu avoir sa mère.

Cette femme faussement modeste et réellement arrogante avait confié, juste après l'élection de son fils : « Jusqu'ici, un Américain sur quatre était gouverné par les Bush [elle faisait allusion à George W. et à son frère cadet, Jeb, respectivement gouverneur du Texas et de Floride, deux des Etats les plus peuplés de l'Union], maintenant c'est le pays tout entier qui sera de nouveau gouverné par un Bush. » Selon un ancien conseiller de son père, Jim Pinkerton, « il ne possédait pas cet optimisme ensoleillé qui caractérise de nombreux présidents américains, y compris son père ». Et d'ajouter : « L'ancien président n'a jamais dressé la liste de ses ennemis. George W., lui, l'a constamment en tête. »

« L'hérédité et la naissance »

Les compétences et les circonstances sont souvent les clés d'un succès, George W. a plutôt bénéficié exclusivement des secondes.

Dans un excellent article publié par *Harper's Magazine*, l'auteur, Kevin Phillips, expliquait l'élection du fils aîné, huit ans seulement après son père, par le climat profond qui régnait alors en Amérique et qui poussait les électeurs vers une véritable « restauration politique ». « Pendant huit années, écrivait-il, la Maison Blanche avait été occupée par un Casanova, d'origine modeste, qui utilisait publiquement, quand il était gouverneur de l'Arkansas, la police de son Etat comme un service d'Escort Girl. Face à ces comportements, les quatre années profondément fades de George Bush à la Maison Blanche apparaissaient, dans la mémoire collective, comme un modèle de dignité et d'esprit gentleman. » Une nostalgie populaire pour l'*upper class* traditionnelle, ses valeurs, son mode de vie, revenait en force, et George Bush, avec ses polos Ralph Lauren, sa résidence d'été à Kennebunkport dans le Maine, son penchant pour l'absence d'éclat, l'incarnait parfaitement.

Bien sûr, George W., selon les mots de Marilyn Quayle, la femme du vice-président Dan Quayle, colistier de George Bush, était « un type qui n'avait jamais rien accompli, et tout ce qu'il avait obtenu il le devait à Daddy ». On le disait léger, paresseux et arrogant, dépourvu de toute sophistication intellectuelle, mais, comme l'écrivait Phillips, « Pour la première fois dans l'histoire américaine, les qualifications d'un candidat à la Présidence ressemblaient à celles du prince de Galles : l'hérédité et la naissance ».

Winston Churchill avait brossé un portrait cruel de Neville Chamberlain qui était, comme George W., le fils d'un homme politique célèbre. « C'est un personnage, disait-il, qui, en cas d'absence d'autre candidat, aurait fait un bon maire de Birmingham. »

Hormis certains commentateurs politiques et des intellectuels ironiques, la grande majorité de l'opinion publique américaine accordait, elle, à George W. le bénéfice du doute, avant son élection. Mieux, l'image patricienne projetée par la famille Bush donnait même à penser aux Américains que George W. avait la politique étrangère dans les gènes. C'était bien sûr une illusion. George W., avant son arrivée à la Maison Blanche, n'avait voyagé qu'à cinq reprises à l'étranger, dont deux fois au Mexique, pays frontalier du Texas.

Quand il se présenta à l'élection présidentielle, il était le candidat en lice le plus riche depuis Lyndon Johnson, en 1964... grâce au base-ball.

Au début de 1989, Eddie Chiles, millionnaire ayant fait fortune dans le pétrole et ami de George Bush depuis le début des années 50, décida de vendre le club des Texas Rangers. George W. en était un des plus fervents supporters, et pour lui qui n'avait plus vraiment d'activité, c'était une séduisante opportunité. Toutes les portes s'ouvrirent. Il acquit un peu moins de 2 % du capital du club, 1,8 exactement, en échange de 600 000 dollars. Il acheta ses actions avec un prêt de 500 000 dollars consenti par une banque de Midland dont il avait été un des directeurs et 106 000 dollars qui lui furent avancés par des amis. Sa participation était de loin la plus modeste. Richard Rainwater, le conseiller financier des frères Bass, les milliardaires texans, avait, lui, investi plus de 14,2 millions de dollars. Rainwater était un homme qui inspirait une confiance aveugle à Wall Street. Entre 1970 et 1986, il avait transformé l'héritage de 50 millions de dollars des frères Bass en 4 milliards de dollars.

Deux mois après l'entrée de son père à la Maison Blanche, George W. annonça au cours d'une conférence de presse que le tour de table avait été bouclé et la vente conclue pour un montant de 86 millions de dollars.

Sa participation financière était minime mais il se comportait comme le véritable « propriétaire » du Club, assistant à tous les matchs, les commentant ensuite à la télévision. Bientôt il commença à signer des autographes et fit imprimer des « cartes de base-ball » sur lesquelles il y avait sa photo. Il devenait populaire à travers le Texas, et les financiers puissants auxquels il était associé, au sein du club, suivaient cette métamorphose avec intérêt.

Sa trajectoire commençait à ressembler de plus en plus à celle de Ronald Reagan.

Le 2 janvier 1967 à 0 h 16, Ronald Reagan avait prêté serment comme gouverneur de Californie. Sous l'œil de 32 caméras de télévision il avait lancé : « Eh bien, nous revoilà dans le show de minuit, comme à la télé ! »

Chez tous les sceptiques du pays, c'était le dernier gag : un acteur politiquement inexpérimenté occupait le poste le plus important de l'Etat le plus riche et le plus peuplé du pays. Pour Reagan, il s'agissait là du premier succès politique après huit années passées à sillonner l'Amérique comme orateur itinérant de General Electric. « A Hollywood, confiait-il avec humour, quand on ne savait pas danser ou chanter, on finissait comme orateur de banquets ; alors on a fait de moi un orateur. »

Ce rôle lui avait été confié dans le cadre d'un programme de relations publiques de la puissante firme qui souhaitait entretenir le moral de son personnel, alors qu'elle se décentralisait de plus en plus. Reagan passa ainsi 250 000 minutes debout derrière un micro et parla devant plus de 300 000 personnes au cours de la visite de 135 usines.

Des hommes riches, influents, conservateurs, virent en lui, après une telle performance, le candidat idéal au poste de gouverneur, avant qu'il ne devienne, treize ans plus tard, le 40e président des Etats-Unis.

C'était à peu près l'évolution qui se dessinait avec George W., mais il possédait un plus par rapport à

Reagan, un atout décisif : le Texas était déjà le fief de son père, et son père justement était désormais à la Maison Blanche. Ces deux données allaient permettre de transformer le club de base-ball des Texas Rangers, non seulement en une formidable entreprise de relations publiques pour George W., mais aussi en une opération financière, rentable au-delà de toutes les attentes.

Lorsqu'il fut décidé de construire un nouveau stade, la municipalité d'Arlington proposa, non seulement le terrain pour construire un stade de 49 000 places, mais aussi de garantir à hauteur de 135 millions de dollars le financement de la construction évalué à 190 millions de dollars. Les propriétaires du club n'eurent même pas à sortir d'argent pour payer leur part des travaux qui fut acquittée grâce à une augmentation du prix du billet d'entrée. Alors que les rentrées annuelles du club, uniquement en droits de retransmissions télévisées et en ventes de billets, se chiffraient à plus de 100 millions de dollars, les revenus payés à la ville d'Arlington, malgré l'ampleur de ses engagements, ne dépassait pas 5 millions de dollars.

Pis encore : une famille qui refusa de vendre son terrain pour la construction du stade fut expropriée, et leurs 13 acres devinrent propriété du club.

Le 8 novembre 1993, George W. annonça qu'il se présentait au poste de gouverneur du Texas contre la démocrate Ann Richards, une amie de Bill Clinton et une adversaire acharnée des Bush. Il triompha, en 1994, à la surprise générale, avec 53 % des suffrages, contre 46 % à son adversaire. Sa campagne avait reposé sur un thème martelé avec vigueur : la priorité à la responsabilité personnelle et à la capacité à s'assumer plutôt que de chercher à dépendre du gouvernement.

C'était un choix populaire chez les électeurs texans farouchement individualistes et méfiants envers toutes les initiatives venant de Washington, mais étonnant de la part d'un homme qui incarnait si peu ces principes.

Peu après son entrée en fonctions, il fut approché par Thomas D. Hicks, un des hommes les plus riches du Texas, toujours vêtu de costumes voyants et de bottes de cow-boy. Sa firme d'investissement possédait des intérêts dans des chaînes de radio et de télévision, des compagnies alimentaires et de boissons, des sociétés immobilières. Hicks voulait lui remettre un chèque de 25 000 dollars, comme contribution à sa campagne électorale. C'était exactement le montant qu'il avait versé à la démocrate Ann Richards, l'adversaire malheureuse et ex-gouverneur.

George W. le savait, mais lui autrefois si prompt à ne jamais pardonner accepta l'argent, et bien lui en prit, car Thomas Hicks allait faire de Bush un homme riche, et les liens entre les deux hommes, au fil des années, n'allaient cesser de se resserrer.

Hicks possédait une équipe de hockey sur glace, les Dallas Stars, et cherchait à obtenir la construction d'un nouveau stade, comme George W. l'avait fait avec son club de base-ball. En juin 1997, le gouverneur Bush signa une nouvelle législation qui prévoyait de nouveaux impôts pour financer la construction d'équipements sportifs. Quelques mois plus tard, un chantier de 230 millions de dollars fut lancé à Dallas pour la construction d'une arène pouvant accueillir des matchs de hockey mais aussi de basket. Cette décision eut pour effet de valoriser le prix de l'équipe de hockey appartenant à Hicks, mais elle favorisa également l'un des principaux associés de George W., le milliardaire Rainwater, qui devait percevoir une commission de 10 millions de dollars après la construction du stade.

Un an plus tard, en 1998, Hicks annonça son intention

de racheter le club de Bush, les Texas Rangers. Il en proposait 250 millions de dollars, soit trois fois le prix payé par Bush et ses partenaires en 1989. Quand l'accord fut signé, George W. laissa éclater sa joie : « J'ai plus d'argent que j'en aie jamais rêvé. » Les 15 millions de dollars obtenus par le futur président représentaient en effet un énorme bénéfice par rapport à sa mise de fonds initiale.

« Compassion » et « compréhension »

En politique, Bush se voulait un conservateur « ferme mais empli de compassion ». Durant ses deux mandats, le Texas sera l'Etat américain où la peine de mort fut la plus appliquée. Mais la « compassion » ouvertement déclarée de Bush se muait en « compréhension » quand il s'agissait de ses amis et associés, comme le révéla Joe Conason dans une remarquable enquête. Un étrange jeu d'intérêts croisés, soigneusement dissimulés, se développa autour de George W. durant ces années.

Lorsqu'il était devenu gouverneur, ses actions au sein des Texas Rangers n'avaient pas été placées dans un *blind trust*, comme le veut la loi et la morale. Tout homme politique élu est tenu de déposer le montant de son capital sur un compte auquel il n'a pas accès et qu'il ne peut gérer tant qu'il est en fonctions.

Il ne fut pas inquiété mais, par contre, une partie des 15 millions de dollars reçus lors de la revente furent cette fois placés dans un *blind trust* dirigé par son associé Rainwater. L'impunité semblait pour lui un fait acquis. En 1990 déjà, lorsqu'il avait vendu au plus haut ses actions de Harken, empochant une substantielle plus-value, moins de deux mois avant que Saddam n'envahisse le Koweit, certains experts avaient évoqué un délit d'initié, soupçonnant George W. d'avoir bénéficié d'informations provenant de son père. Mais le président de la SEC (l'organisme chargé de contrôler les opérations boursières) était à l'époque un intraitable partisan du président Bush, et il avait fait classer le dossier.

Une des mesures prises par George W. durant son premier mandat fut de proposer la privatisation des hôpitaux psychiatriques. Cette décision, selon le *Houston Chronicle*, bénéficia à Magellan Health Services Inc., une société contrôlée par Richard Rainwater.

Il nomma Thomas Hicks président de l'University of Texas Investment Management Co., un organisme privé spécialement créé par une loi qu'il fit passer, pour gérer l'ensemble des fonds et des placements détenus par l'université du Texas. Un véritable trésor se chiffrant à 13 milliards de dollars d'actifs.

9 millions de dollars furent placés dans le groupe de Rainwater, Crescent Equities. Le comité dirigé par Hicks décida également de consacrer 1,7 milliard de dollars, toujours sur les fonds appartenant à l'université, à des placements plus rémunérateurs dans des firmes privées. Intention louable mais qui aboutit à ce qu'un tiers de cette somme soit investie dans des fonds appartenant à des amis ou des associés de Hicks. Tous les bénéficiaires étaient des sympathisants du Parti républicain et avaient largement contribué financièrement à la campagne de 1994 du gouverneur Bush.

Même dans un Etat comme le Texas où intérêts publics et fortunes privées sont étroitement liés, à un degré inconnu et impensable dans le reste du pays, ces pratiques choquaient. Le *Dallas Morning Post* publia un article en mars 1999 révélant que des fonctionnaires avaient critiqué le secret qui entourait le comité présidé par Hicks, ses décisions en matière d'investissement, et avaient pointé de potentiels conflits d'intérêts de la part des membres du conseil d'administration. Un rapport révélait également que la politique d'investissement « agressive » prônée par Hicks avait dégagé un profit de 16 %, qui était bien en deçà des performances réalisées par le Dow Jones et nettement inférieur aux résultats obtenus par bon nombre d'autres investisseurs.

Une autre initiative, passée à l'époque inaperçue, révélait toute la complexité et l'ambiguïté des réseaux financiers tissés par les Bush. Un véritable pouvoir occulte et parallèle qui avait forgé des alliances pour le moins surprenantes.

Le 1ᵉʳ mars 1995, quelques semaines seulement après l'entrée en fonctions de George W. comme gouverneur, Thomas Hicks et son conseil décidèrent d'investir 10 millions de dollars provenant de l'université du Texas au sein du groupe Carlyle, un fonds d'investissement installé à Washington et décrit sur son site Internet comme « menant une stratégie d'investissement à l'intersection du gouvernement et du monde des affaires ».

Une des premières acquisitions de Carlyle, créé en 1989, avait été le rachat de Caterair, une des plus importantes sociétés américaines pour la fabrication de plateaux-repas destinés aux compagnies aériennes. En 1989, George W. avait été nommé au conseil de direction de la firme, poste qu'il conserva jusqu'en 1994, et dont il ne déclara jamais les revenus à la commission pour les affaires éthiques du Texas.

Un goût maniaque du secret

Carlyle représentait beaucoup plus qu'un simple fonds d'investissement. C'était avant tout un véritable réseau d'hommes de pouvoir de premier plan, ayant leurs entrées auprès de tous les décideurs politiques, économiques et financiers, et capables d'influer sur leurs décisions.

L'emplacement de son siège, à Washington, est à lui seul un symbole : situé sur Pennsylvania Avenue, il est juste à mi-chemin entre la Maison Blanche et le Capitole, et à proximité des principaux ministères et agences fédérales.

Cultivant un goût maniaque du secret (un connaisseur affirme : « ils sont puissants, ils sont discrets »), Carlyle est la plus importante firme privée d'investissement du pays, avec aujourd'hui près de 16 milliards de dollars d'actifs. Elle détient des participations dans plus de 164 sociétés à travers le monde qui emploient au total 70 000 personnes. Plus de 450 banques et fonds de pension sont investis dans Carlyle, à l'image de Calpers, le plus grand fonds de pension américain qui gère les retraites des employés du service public californien.

Créé en 1987, Carlyle fut dynamisé par l'arrivée à sa direction, en 1989, de Franck Carlucci, qui avait été pendant de longues années directeur général adjoint de la CIA avant de devenir le ministre de la Défense de Ronald Reagan. Il s'entoura de collaborateurs qui étaient tous des anciens du Pentagone et de l'agence de renseignement.

« Pentagone Inc. », surnom que l'on donnait au ministère de la Défense, était aussi une gigantesque entreprise, étroitement liée avec tous les géants de l'industrie. Carlucci connaissait personnellement les dirigeants de ces firmes, et c'est vers le secteur de la défense qu'il orienta ses principaux investissements. Avec un flair certain puisque, en douze ans, Carlyle réalisa un retour annuel sur investissement de 34 %. Encore aujourd'hui, les deux tiers de ses placements ou prises de participations se composent de firmes liées au secteur de la défense et des télécommunications, au point que le fonds est considéré comme le onzième fabricant de matériel militaire des Etats-Unis. Ses compagnies produisent notamment des chars, des ailes d'avion, des missiles et une grande variété d'autres équipements.

Carlucci confie dans un entretien : « Je connais très bien Donald Rumsfeld. Nous sommes très proches depuis de nombreuses années. Nous étions ensemble à l'université. » Les deux hommes se sont rencontrés récemment, à plusieurs reprises, ainsi qu'avec le vice-président Dick Cheney, pour discuter de « projets militaires ». Selon Charles Lewis, directeur exécutif du « centre pour l'intégrité publique », une organisation à but non lucratif, « Carlyle est lié, imbriqué avec l'administration aussi profondément qu'on peut l'être ».

Un seul exemple suffit à illustrer cette complicité, proche de l'osmose : Carlyle avait acquis en 1997, pour 850 millions de dollars, United Defense Industries, une compagnie d'armement, installée en Virginie.

En septembre 2001, après un accord écrit de George W. Bush, la firme signait un contrat de 12 milliards de dollars avec le Pentagone, portant sur le développement du programme Crusader, un système d'artillerie sophistiquée. Pourtant, au cours des trois dernières années, tous les experts du Pentagone consultés avaient fermement rejeté ce projet, le jugeant totalement inadapté aux exigences d'une guerre moderne.

Il est déjà étonnant de découvrir que le responsable d'un fonds d'investissement négocie avec le ministre de la Défense d'un président qui fut autrefois un salarié de ce fonds. Mais les faits deviennent encore nettement plus surprenants lorsqu'on découvre que le père de l'actuel président est un des piliers de Carlyle. Tout comme son ancien secrétaire d'Etat James Baker.

James Baker est l'un des dix-huit partenaires de la firme (chacun serait détenteur d'un capital de 180 millions de dollars) et un investisseur extérieur, tandis que George Bush est le conseiller spécial pour le fonds asiatique de Carlyle, une zone qui géographiquement couvre aussi bien la Corée que l'Arabie Saoudite.

Or, George Bush, auréolé par sa victoire dans la guerre du Golfe, est resté un des interlocuteurs privilégiés des dirigeants saoudiens. « Le problème apparaît quand affaires privées et politique publique se confondent », estime Peter Eisner, du Centre pour l'intégrité publique, qui ajoute : « Quel est l'habit endossé par l'ancien président quand il rencontre le prince héritier d'Arabie Saoudite, Abdullah, et lui dit de "ne pas avoir d'inquiétude sur la politique américaine au Moyen-Orient", ou encore quand James Baker intervient en Floride, durant le décompte contesté de l'élection présidentielle, en faveur du fils Bush ? Or, c'est justement ce type de comportement et de fonctionnement qui ont permis le succès de Carlyle. »

« Un conflit d'intérêts évident »

Pour Larry Klayman, président de Judicial Watch, une organisation juridique non gouvernementale, la présence de George Bush à la direction de Carlyle constitue « un conflit d'intérêts évident. N'importe quel gouvernement ou investisseur étranger essayant de gagner les faveurs de l'administration Bush entrera en affaires avec Carlyle. Et avec l'ancien président Bush assurant la promotion des investissements de ce fonds à l'étranger, de nombreux gouvernements et particuliers pourraient, de manière tout à fait compréhensible, confondre les intérêts du groupe Carlyle et ceux du gouvernement américain. »

Cette confusion des intérêts peut encore aller plus loin, comme le souligne Charles Lewis : « George Bush gagne de l'argent provenant d'intérêts privés qui font des affaires avec le gouvernement, pendant que son fils est président, et d'une certaine manière George W. Bush pourrait un jour bénéficier financièrement des décisions prises par sa propre administration, à travers les investissements de son père. L'Américain moyen ignore tout cela. »

Alors qu'une nouvelle guerre se prépare en Irak, Carlyle est bien placé pour en retirer de fructueux dividendes : United Defense Industries fabrique les chars Bradley, déjà stationnés dans le désert, à la frontière de l'Irak, et les missiles à lancement vertical qui équipent les navires américains croisant dans la zone du golfe Persique.

George Bush est également payé par Carlyle pour prononcer des discours devant des auditoires soigneusement sélectionnés. Il reçoit 100 000 dollars par intervention.

Au cours d'un séjour en Arabie Saoudite, à l'occasion d'un forum économique où il voyageait accompagné de l'ancien Premier ministre britannique John Major, autre responsable de Carlyle, George Bush fut reçu par le roi Fahd et surtout le prince héritier. Il eut droit à une croisière sur le yacht royal, suivie d'une réception dans un palais aux portes de Riyad. Les dirigeants saoudiens confièrent qu'ils étaient désireux de privatiser le système téléphonique du pays et que des investisseurs étrangers seraient les bienvenus.

De nombreuses firmes à travers le monde se montrèrent extrêmement intéressées par le projet. Pourtant une société semblait avoir la préférence des Saoudiens. Il s'agissait d'une compagnie texane, SBC, qui possédait deux caractéristiques. Elle avait Carlyle comme partenaire, or Carlyle opérait également comme conseiller financier du gouvernement saoudien, et ses dirigeants avaient contribué, à hauteur de 50 000 dollars, à la campagne de Bush comme gouverneur.

Ultime exemple de cette relation équivoque entre les Bush et Carlyle : lorsqu'il était gouverneur, George W. nomma plusieurs membres à la direction de l'organisme qui contrôle les fonds de pension des enseignants du Texas. Quelques années plus tard, cette direction décida de placer 100 millions de dollars provenant de ces fonds publics dans le groupe Carlyle.

George Bush chez les Bin Laden

Il existe également une réalité que Carlyle n'aurait jamais souhaitée voir révéler au grand jour, surtout depuis les attentats du 11 Septembre : un de ses partenaires financiers, dans le fonds dont George Bush était le conseiller, n'était autre que la famille Bin Laden. Leurs investissements, effectués en 1995, se montaient officiellement à 2 millions de dollars, et la famille avait obtenu un retour sur investissement de 1,3 million de dollars, équivalant à un bénéfice de 40 %. Le fonds Partners II, à travers 29 opérations d'investissement ou de rachat, contrôlait plusieurs compagnies aéronautiques. Un expert financier qui entretient des liens d'affaires avec les Bin Laden estime que leur engagement réel au sein de Carlyle est en réalité beaucoup plus important et que ces 2 millions de dollars, selon lui, ne représentent qu'une « contribution initiale ». A Londres, Carlyle et les Bin Laden auraient eu le même avocat qui gère également les intérêts de la famille royale britannique.

A plusieurs reprises, Franck Carlucci et James Baker ont effectué le pèlerinage jusqu'à Djeddah, le quartier général du groupe Bin Laden, pour rencontrer des frères d'Ousama. Bin Laden Group pèse plus de 5 milliards de dollars de revenus annuels, emploie 40 000 personnes et, au fil des années, a diversifié ses activités, entretenant notamment des liens étroits avec quelques-uns des plus grands noms de l'industrie américaine.

Le géant General Electric détenait des intérêts dans une société de distribution d'électricité installée à Djeddah et contrôlée par les Bin Laden. General Electric avait fourni les équipements pour plusieurs usines. Motorola reconnut avoir vendu des réseaux sans fil et des téléphones mobiles au groupe, et avoir eu une participation commune avec la famille Bin Laden, au sein d'Iridium, une compagnie de téléphone par satellite, aujourd'hui en faillite. Les Bin Laden travaillaient également en partenariat avec le géant canadien Nortel Networks, dont le président avait été Franck Carlucci. Tellabs Inc., basé dans l'Illinois, et Picture Corps, installé dans le Massachusetts, sont également ses associés.

Depuis de longues années, le groupe et la famille Bin Laden sont devenus des partenaires de choix pour les firmes étrangères, et leurs liens avec les Etats-Unis se sont encore resserrés après la guerre du Golfe quand le groupe a construit un aéroport et toute l'infrastructure permettant l'installation durable des troupes américaines sur le sol saoudien. Or, c'est justement cette mesure prise par le roi Fahd et ses proches, et mise en application par sa famille, qui a provoqué la colère d'Ousama et sa rupture avec le régime saoudien, accusé de souiller le sol sacré en accueillant les impies.

Les membres de la famille Bin Laden affirment avoir désavoué depuis longtemps leur frère ou demi-frère, privé de la nationalité saoudienne depuis 1994, et ne plus avoir le moindre contact avec lui. L'affirmation laisse sceptiques certains enquêteurs : « C'est un clan, affirme l'un d'eux, et il est parfaitement envisageable que certains entretiennent un contact avec lui, soit idéologique, soit purement familial. » Ousama, qui aurait hérité d'un capital évalué entre 50 et 300 millions de dollars, en liquide et en actifs, ne peut en aucune manière peser sur les choix et les orientations du groupe.

Il existe cependant des faits étonnants. En 1996, un attentat au camion piégé se produit à Dharan et tue 19 militaires américains. L'enquête révélera que les commanditaires de l'attentat sont des sympathisants du réseau Al Quaeda, parfaitement identifié depuis longtemps comme représentant une menace terroriste de grande envergure contre les intérêts américains. Peu après l'attentat, le groupe Bin Laden se verra confier la construction des pistes d'aéroport et des baraquements destinés aux forces américaines, transplantées en plein désert par mesure de sécurité...

Les Bin Laden, en partie à travers Carlyle, sont étroitement liés aux plus grands noms du Parti républicain, James Baker bien sûr, mais surtout George Bush.

Au cours de ses voyages sur le sol saoudien, l'ancien président américain leur rend régulièrement visite. Ce fut le cas en 1998, en compagnie de James Baker, qui revint seul un an plus tard, effectuant le voyage dans un des avions privés appartenant à la famille. Après une brusque et incompréhensible perte de mémoire, due probablement aux séquelles des attentats du 11 Septembre, George Bush reconnut avoir rencontré de nouveau, en janvier 2000, les Bin Laden à Djeddah. Mais comme le précise l'assistante de l'ex-président, Mme Jean Becker, « le président Bush les a rencontrés deux fois. Il n'a pas de relation avec la famille Bin Laden ».

En réalité les relations entre les deux familles durent depuis près de vingt ans. Le 29 mai 1988, Salem Bin Laden, qui dirigeait le groupe et les intérêts familiaux, se tuait aux commandes de son avion, juste après son décollage de San Antonio, au Texas. L'appareil percuta des lignes à haute tension, puis s'écrasa au sol. Salem Bin Laden était un pilote extrêmement expérimenté totalisant plus de 15 000 heures de vol. L'accident, selon les témoins, était « inattendu et inexplicable ».

Salem Bin Laden avait comme homme de confiance Jim Bath, l'ami de George W. qui avait racheté les avions de la CIA et investi dès les années 70 dans Arbusto, la première compagnie pétrolière créée par le fils Bush : « Bath n'avait pas cet argent, déclara un de ses anciens associés. Salem Bin Laden le lui avait peut-être fourni. » Parmi les opérations financières effectuées par Salem au Texas, on trouvait le rachat de l'aéroport de Houston Gulf. Après sa mort, cette participation devint la propriété de son associé et ami Khalid Bin Mahfouz, propriétaire de la plus importante banque d'Arabie Saoudite et actionnaire à 20 % de la BCCI, spécialisée, comme on le sait, dans les faux profits et réseaux criminels. Mahfouz, qui aida lui aussi George W. Bush dans ses affaires, est aujourd'hui soupçonné d'avoir fait transiter, à travers sa banque, des millions de dollars à destination d'Al Qaeda. Mais ces données n'ont apparemment rien changé pour les Bin Laden. Son établissement, la National Commercial Bank, reste un des plus utilisés pour un bon nombre de leurs opérations.

Autres liens : de 1994 à 1997, le groupe Bin Laden coopère étroitement avec la compagnie HC Price, une firme de Dallas spécialisée dans la pose de pipe-lines au Moyen-Orient. Un accord de *joint venture* est ensuite signé entre les Bin Laden et Price qui changea son nom en Brothers Shaw Inc. Cette compagnie devint une filiale de Halliburton Corporation, leader mondial en matière d'engeenering et d'équipement pétroliers, après son rachat, dans des conditions douteuses, de Dressler Industries.

Halliburton, une société texane, a eu pour P-DG, jusqu'en janvier 2001, l'actuel vice-président Dick Cheney. Et Dressler Industries, basée au Texas elle aussi, fut la première compagnie à proposer un travail à George Bush, en 1948.

« Un conflit d'intérêts transformé en scandale »

Judicial Watch, la firme juridique citée précédemment, qui enquête sur les abus et la corruption au sein du gouvernement, et qui avait critiqué les liens de George Bush avec Carlyle affirme : « Ce conflit d'intérêts s'est maintenant transformé en scandale. L'idée que le père du Président, un ancien Président lui aussi, fasse des affaires avec une compagnie [celle des Bin Laden] soumise à une enquête du FBI depuis les attaques terroristes du 11 Septembre est horrible. Le président Bush ne devrait pas demander mais exiger que son père démissionne du groupe Carlyle. »

Il fallut attendre octobre 2001, plus d'un mois après la tragédie du 11 Septembre, pour que Carlyle annonce, dans un bref communiqué, que les Bin Laden s'étaient retirés du fonds d'investissement. Une annonce qui laissa extrêmement sceptique de nombreux experts. Comme l'écrivait dès le 28 septembre 2001 le *Wall Street Journal* : « Si les Etats-Unis développent et renforcent leurs dépenses militaires pour tenter de stopper les activités terroristes d'Ousama Bin Laden, leur initiative pourrait

avoir un bénéficiaire inattendu ; la famille Bin Laden... »
C'était encore à un moment où la croisade contre l'Irak
n'avait pas été lancée...

Le 24 septembre 2001, le président George W. Bush
apparut dans le jardin aux roses de la Maison Blanche,
et sa conférence de presse prit un ton churchillien. Il
annonça une offensive contre les réseaux financiers soutenant le terrorisme et ceux qui les appuient : « Les
banques américaines qui possèdent des actifs appartenant
à ces groupes ou a ces individus doivent les geler », et il
ajouta : « Les citoyens américains ou les hommes d'affaires ont interdiction de faire des affaires avec eux. »
Mais, comme l'écrivit le commentateur Wayne Madsen,
« le Président n'a pas toujours pratiqué ce qu'il prêche
maintenant : les propres affaires des Bush ont été liées
à des personnalités financières qui, en Arabie Saoudite,
soutenaient Bin Laden ».

Son papier était titré « Traquer l'argent de Bin Laden
ramène à Midland » (le quartier de Houston où vivait
George W. Bush).

Bandar Bin Sultan incarne à merveille la complexité, l'ambiguïté et la complicité qui caractérisent les relations entre les Etats-Unis et l'Arabie Saoudite. Entre la première puissance mondiale et le principal producteur et exportateur de pétrole de la planète, les relations, selon un spécialiste, « ressemblent davantage à un mariage arrangé qu'à une union romantique ». Le pétrole est le principal lien, le ciment, entre le pays qui s'affiche ouvertement comme la plus grande démocratie de la planète et la monarchie théocratique où n'existent ni liberté d'expression, ni choix politiques. Comme l'écrivent très justement Robert Kaiser et David Ottaway dans le *Washington Post* : « Chaque partenaire aurait été horrifié si l'autre avait voulu lui imposer ses valeurs, croyances et coutumes. »

Bandar Bin Sultan est ambassadeur à Washington depuis 1983. Fils du prince Sultan, le ministre de la Défense, frère du roi Fahd, il n'a été reconnu par son père qu'à son adolescence, car sa mère était une servante.

Au fils des ans, il était devenu un personnage influent au sein de la famille régnante et une des personnalités les plus en vue de la capitale américaine. Beaucoup estimaient même qu'il était le véritable patron officieux de la diplomatie saoudienne. Le Tout-Washington évoque les réceptions somptueuses qu'il organise, le luxe incroyable du chalet comprenant 25 pièces et 16 salles de bains qu'il a fait redécorer à Aspen, dans le Colorado. De plus, Bandar a une haute idée de sa personne et du rôle de son pays. Proche de la Maison Blanche, surtout durant les années Reagan et Bush, il est très lié à la CIA et manifeste un goût prononcé pour les opérations clandestines. Quand la CIA soutenait les moujahiddines afghans, luttant contre les Soviétiques, chaque million de dollars dépensé par l'agence se doublait d'un million de dollars supplémentaire payé par les Saoudiens. Les Saoudiens déboursèrent ainsi, à l'initiative de leur ambassadeur, plus de 30 millions de dollars.

Le lieutenant-colonel Oliver North, membre du Conseil national de sécurité de la Maison Blanche sous Reagan, cherchait, devant le refus du Congrès, le moyen de financer les Contras, les rebelles nicaraguayens luttant contre le pouvoir sandiniste soutenu par Moscou. Bandar débloqua secrètement près de 20 millions de dollars, un cadeau de la famille royale saoudienne.

Durant la première crise du Golfe, en 1990, il avait fréquemment fait la navette entre l'Arabie Saoudite et Washington, à bord de son Boeing 707.

Il fut l'homme qui permit aux Américains de faire sauter le verrou saoudien et de leur faire accepter le principe de troupes étrangères sur leur sol. Une décision qu'ils avaient toujours rejetée. Gardiens des Lieux saints de l'Islam, ils se montraient opposés à toute présence occidentale.

Ce tournant crucial eut lieu le 3 août 1990, alors que Saddam venait juste d'envahir le Koweit. Bandar Bin Sultan reçut un appel du président Bush l'invitant à se rendre dans l'après-midi au Pentagone. Le ministre de la Défense, Dick Cheney, l'attendait en compagnie du chef d'état-major, Colin Powell. Ils s'enfermèrent dans une pièce blindée surnommée le « tank », gardée en permanence et équipée de systèmes de brouillage qui rendaient impossible l'écoute des conversations.

Le ministre de la Défense évoqua les mouvements de troupes irakiennes vers la frontière saoudienne, avec des photos satellites à appui. Saddam Hussein pouvait être tenté de pousser plus loin son avantage, jusqu'aux puits de pétrole situés dans l'est du royaume saoudien. Les trois hommes étaient assis autour d'une petite table de conférence en bois, dans une pièce aux murs nus.

L'ambassadeur saoudien répondit que, même si la menace irakienne était réelle, les dirigeants saoudiens doutaient de la volonté américaine de la stopper. Il évoqua le « geste » de Jimmy Carter, au moment où, avec la guerre Irak-Iran, la région s'embrasait. Le président américain avait alors proposé d'envoyer douze avions F-15, dépourvus d'armes, pour défendre le royaume saoudien. « Aujourd'hui, ajouta l'ambassadeur, seul un fou accepterait de tels cadeaux. » Il précisa aussi qu'une aide militaire américaine était un sujet que le roi Fahd et son entourage ne cessaient d'évoquer, mais ils ne voulaient pas d'une simple démonstration de force.

Cheney poussa vers l'ambassadeur, le dossier placé devant lui.

— Excellence, donnez-vous la peine de lire ceci et vous comprendrez mieux le degré de notre détermination.

Selon un des participants, au fur et à mesure de la lecture, le visage du prince saoudien changeait, passant du scepticisme à la satisfaction. Il venait de prendre connaissance du plan de défense de l'Arabie Saoudite, élaboré quelques heures plut tôt, et qui se composait de deux volets, le déploiement de navires et d'une force aérienne tactique, ainsi que l'envoi de troupes terrestres : au total 700 avions, plusieurs dizaines de navires et 140 000 hommes.

Quand il eut terminé, Bandar adressa un large sourire
à Cheney et a Powell.

— Messieurs, je suis très impressionné par l'ampleur
de ce dispositif. Tout ce que je viens de lire montre que
vous êtes sérieusement disposés à nous aider. Vous
comprenez maintenant pourquoi nous avons rejeté la proposition de Carter d'envoyer quelques avions. C'était
assez pour nous poser des problèmes mais insuffisant
pour agir.

Bandar Bin Sultan dit qu'il allait appeler sur-le-champ
son oncle, le roi, pour lui expliquer en détail le plan américain. Le lendemain, son intervention fut relayée par un
coup de téléphone de George Bush à Fahd : « Majesté,
lui dit-il, il faut que vous sachiez que Saddam Hussein
ne s'arrêtera pas au Koweit. Nous sommes à vos côtés ».

Lorsque Bush, quelques mois plus tard, se rendit en
Arabie Saoudite pour passer en revue les troupes américaines, il embrassa Bandar à son arrivée à Riyad en lui
déclarant : « Vous êtes une bonne personne. » Bandar
ajouta que le Président avait les larmes aux yeux.

Après la guerre du Golfe, il devint un familier de la
famille Bush, invité dans leur résidence d'été de Kennebunkport dans le Maine. Surnommé par les membres de
la famille « Bandar Bush », il retourna l'invitation en
invitant George Bush à venir chasser le faisan dans sa
propriété anglaise. Les relations américano-saoudiennes
étaient alors empreintes de félicité.

L'Arabie Saoudite « est un peu loin »

Pourtant la naissance du royaume avait commencé
sous le signe de l'austérité. En 1930, Ibn Seoud, le fondateur de l'Arabie Saoudite, confiait « qu'il était tellement
pauvre qu'il ne possédait même pas une pierre pour poser

sa tête ». Deux ans plus tard, le royaume qu'il venait de créer en unifiant autour de lui les tribus bédouines n'avait d'autre ressource que les droits d'entrée acquittés par les pèlerins se rendant à La Mecque et Medine, et certaines années, ces recettes étaient si faibles que le pays se trouvait au bord de la faillite. Ibn Seoud lançait alors des appels désespérés aux grandes compagnies pétrolières, essentiellement britanniques, pour qu'elles exploitent son pétrole. « Contre un million de dollars, confia-t-il, à un homme d'affaires anglais, je leur cède toutes les concessions qu'ils voudront. »

La somme était ridiculement basse mais la proposition n'intéressait personne. Il existait de telles quantités de pétrole disponibles, extraites notamment par l'Irak Petroleum Company, que les grandes sociétés étaient tombées d'accord sur un point essentiel : le pétrole saoudien ne devait jamais sortir des profondeurs du sous-sol désertique, pour ne pas aggraver la surproduction, et la péninsule Arabique ne représentait aucun attrait commercial et politique.

Quand le fondateur du royaume s'éteignit, le 9 novembre 1953, dans son palais de Taef, à l'est de La Mecque, peu nombreux étaient ceux qui pleurèrent sa mort, selon Harry Saint John Philby qui fut son conseiller et le père du fameux espion soviétique Kim Philby. Peu de Saoudiens moyens avaient bénéficié de son règne, et les grands gagnants étaient les Etats-Unis.

Au retour de la conférence de Yalta, en février 1945, le président Roosevelt avait rencontré le roi à bord du croiseur américain *Quincy*, ancré dans le grand lac Amer, au milieu du canal de Suez. Cette initiative venait de Roosevelt qui souhaitait que le roi intervienne en faveur d'une solution pacifique en Palestine.

Le président américain considérait l'Arabie Saoudite

comme un « peu loin » pour les Américains, une formule qui n'est pas dépourvue de saveur avec le recul du temps. La rencontre à bord du *Quincy* devait poser les bases, implicites, beaucoup plus qu'expressément formulées, d'une entente entre les deux pays qui, depuis près de soixante ans, repose toujours sur le même postulat : « Nous vous protégeons et en échange vous nous approvisionnez en pétrole. »

Ibn Seoud avait commis une erreur d'évaluation qui se révéla extrêmement profitable pour les Etats-Unis. Il choisit de coopérer avec des compagnies pétrolières américaines plutôt que britanniques parce que, disait-il, « elles sont moins liées au pouvoir politique ».

L'Aramco, le consortium pétrolier opérant sur le territoire saoudien, réunissait les plus grandes compagnies américaines, toutes disposant d'importants moyens d'influence et de pression sur les hommes au pouvoir à Washington, qu'il s'agisse du Congrès ou de la Maison Blanche.

En quelques décennies, l'Histoire avait basculé et l'Arabie Saoudite s'était imposée comme un géant pétrolier, aux ressources immenses, capable de jeter sur le marché 8 ou même 10 millions de barils par jour. Pas une seule décision importante, en matière de stratégie pétrolière, ne pouvait être élaborée sans les Saoudiens.

La dernière crise entre les deux pays remontait à l'embargo pétrolier de 1973, quand le roi Fayçal se joignit aux pays de l'OPEP, faisant passer le prix du baril de moins de 3 dollars à plus de 11 dollars. « L'arme du pétrole » avait permis le transfert de centaines de milliards de dollars, des pays consommateurs vers les Etats producteurs. L'Arabie Saoudite devint extrêmement riche, et les Américains s'intéressèrent très vite au recyclage de ces « pétrodollars » dans lesquels ils voyaient un moyen de combler le déficit budgétaire américain. Il suffisait que les Saoudiens achètent des bons du Trésor. Ce qui fut fait.

Pendant les années qui suivirent le premier choc pétrolier, les analystes s'interrogèrent sur l'usage par les Etats du Golfe, et au premier chef les Saoudiens, de leurs énormes moyens financiers. Ne pouvaient-ils pas prendre le contrôle d'une grande partie de l'économie mondiale ? C'était négliger une évidence. Les sommes imposantes recyclées par les pays producteurs de pétrole dans les banques occidentales n'étaient pas un gage de leur puissance mais plutôt un signe de leur fragilité et de leur vulnérabilité. Que survienne une nouvelle crise internationale majeure et tous ces avoirs pouvaient immédiatement être gelés.

De plus, le royaume saoudien était un pays de rentiers où la richesse (plus de 150 milliards de dollars de revenus), obtenue trop rapidement et aisément, se doublait d'une politique régionale prudente et parfois même hésitante.

Cette explosion de richesse eut pour corollaire un cynisme mutuel. Les Américains effectuaient un constant forcing à l'achat, qu'il s'agisse d'équipements militaires, d'avions Boeing ou des travaux d'infrastructure généralement effectués par le géant Bechtel. En réponse, les Saoudiens exigeaient des commissions d'au moins 5 % payées en général aux 8 000 princes que comptait le pays. Dans une récente interview à la télévision américaine, Bandar Bin Sultan fit un aveu surprenant. Selon lui, sur les 400 milliards de dollars qui avaient été dépensés en trente ans par le royaume pour édifier un Etat moderne, on pouvait estimer que 50 milliards de dollars avaient été perdus en corruption ou en erreurs de gestion. Il avait ajouté : « Et alors, ce n'est pas nous qui avons inventé la corruption. »

Même le comportement américain en matière de défense du royaume n'était pas exempt d'une certaine mesquinerie : par exemple, les avions militaires US sur le sol saoudien ne payaient pas le kérosène qu'ils consommaient. Le moindre officier saoudien envoyé en formation aux Etats-Unis voyait son séjour facturé plus cher que les membres des autres pays, notamment les alliés de l'OTAN.

Avec les années, les Saoudiens exportèrent aussi massivement vers les Etats-Unis leur argent que leur pétrole. Comment un pays sous-peuplé et sous-développé aurait-il pu absorber ces centaines de milliards de dollars ?

Les choses ont radicalement changé, depuis un long moment. En 1981, les revenus pétroliers annuels étaient de 227 milliards de dollars. Cinq ans plus tard ils chutaient à 31 milliards. Tout au long des années 1990, le revenu annuel fut d'environ 60 milliards de dollars, et, pour l'année 2002, il devrait tourner autour de 50 milliards.

Le pays est en crise et l'économie stagnante. Le revenu par habitant, passé de 19 000 dollars en 1981 à 7 300 dollars en 1997, ne cesse de diminuer. Le royaume compte certainement le plus fort taux de naissance au monde, et les projections pour 2015 prévoient une population de 33 millions d'habitants. Mais les responsables ne considèrent pas qu'il s'agit d'un problème. Selon un expert qui l'a rencontré, « l'attitude du prince Abdullah se résume à : plus notre population est importante, mieux c'est. Quand nous aurons 45 millions d'habitants, vous pourrez revenir nous parler de planning familial ».

Même les 80 à 100 millions de dollars que le pays paie annuellement pour l'entretien des forces américaines sur son sol constituent désormais un fardeau.

Un Saoudien installé aux Etats-Unis et critique envers

le régime affirme : « Les hommes au pouvoir dirigent mal le pays mais sont de bons alliés. » Bandar Bin Sultan en est la démonstration, décrit par un magazine comme « un ami pour toujours ».

« Le cœur du Président est à la bonne place »

Pourtant les années de la présidence Clinton avaient été pour lui à l'image de la situation de son pays : moroses. Bandar Bin Sultan s'ennuyait à son poste et n'avait plus le même accès privilégié au Président et à ses collaborateurs. La victoire de George W. fut pour lui un enchantement. Bush père était l'Américain le plus populaire auprès des responsables saoudiens, un véritable héros national depuis l'opération Tempête du désert. Mais les déceptions et l'incompréhension allaient vite apparaître.

Elles atteignirent leur point culminant durant le mois d'août 2001. Les affrontements israélo-palestiniens ne cessaient de s'amplifier, et face au soulèvement de la seconde intifada, la réplique de Tsahal devenait de plus en plus dure et meurtrière. La télévision saoudienne consacrait chaque jour de larges extraits, montrant de jeunes Palestiniens s'opposant aux chars israéliens. Le prince héritier Abdullah, selon ses proches, était quotidiennement rivé devant son écran, indigné, ému, scandalisé. Agé de soixante-dix-neuf ans Abdullah est le demi-frère du roi Fahd, frappé d'incapacité depuis une violente attaque cérébrale en 1995. On le dit intègre au milieu d'un océan de corruption et moins inféodé aux Etats-Unis que ses demi-frères. Mais comme l'avait confié au journaliste Seymour Hersh, un ancien conseiller de la Maison Blanche : « La seule raison pour laquelle Fahd est laissé en vie, c'est pour empêcher Abdullah de devenir roi. »

Depuis l'élection d'Ariel Sharon au poste de Premier ministre, en février 2001, il multipliait les lettres à Bush, lui demandant de faire pression sur le chef du gouvernement israélien. Sans succès. Le père du Président, l'associé de Carlyle, avait longuement téléphoné à Abdullah pour le rassurer sur les intentions de son fils, lui confiant notamment que « le cœur du Président était à la bonne place ». Mais sans résultat.

Le 23 août, les chars israéliens pénétrèrent dans la ville d'Hébron, et le prince héritier saoudien fut littéralement horrifié par l'image d'un soldat plaquant une femme palestinienne au sol en maintenant sa botte sur sa tête. Le jour suivant, il vit et entendit George W. Bush, au cours d'une conférence de presse donnée dans son ranch de Crawford, déclarer : « Les Israéliens ne négocieront pas sous la menace du terrorisme, c'est aussi simple que cela. Et si les Palestiniens sont intéressés à dialoguer, je presse fermement Arafat d'accomplir 100 % d'efforts pour stopper l'activité terroriste. Et je crois qu'il peut faire un meilleur travail que celui accompli actuellement. »

Pour Abdullah, les propos présidentiels représentaient un soutien sans nuance à Israël et une condamnation sans appel des Palestiniens. Il décrocha immédiatement son téléphone et appela Bandar Bin Sultan qui séjournait dans sa résidence d'Aspen. L'ambassadeur était sorti, et quand il prit connaissance du message, à son retour, c'était le milieu de la nuit en Arabie Saoudite.

Abdullah le rappela le lendemain matin et lui demanda de transmettre un message très ferme à Bush. Bandar rencontra Colin Powell et Condoleeza Rice, le chef du Conseil national de sécurité de la Maison Blanche. La lettre de son oncle, le prince héritier, faisait 25 pages, mais le message qu'elle contenait laissa les responsables américains en état de choc. Selon un officiel saoudien

elle déclarait : « Nous croyons qu'une décision stratégique prise par les Etats-Unis est de faire reposer à 100 %
ses intérêts nationaux au Moyen-Orient sur Sharon. C'est
parfaitement le droit des Etats-Unis, mais l'Arabie Saoudite peut ne pas accepter cette décision. A partir d'aujour-
d'hui vous suivrez votre chemin et nous le nôtre.
Désormais nous protégerons nos intérêts nationaux. »

Bandar reçut aussi pour consigne de couper toute relation entre les deux pays. Le 25 août, le chef d'état-major
saoudien, arrivé la veille à Washington pour des rencontres de haut niveau, reçut l'ordre de rentrer immédiatement à Riyad, sans avoir eu le moindre contact avec
ses homologues américains. Une délégation de 40 officiers qui séjournaient dans la capitale fédérale reprit tout
de suite l'avion.

Ce fut un électrochoc. Bandar s'attendait à ce que la
réponse du président américain tarde cinq ou six jours. Elle
survint trente-six heures plus tard sous forme d'une lettre
de deux pages qui, selon Adel Jubeir, le conseiller de politique étrangère du prince héritier, « révélait que Bush avait
(sur le conflit isréalo-palestinien) une position qui n'était
pas éloignée de celle de Clinton quand il avait quitté la
Maison Blanche ». Les vues exprimées dans le message
différaient considérablement de celles de Sharon, quant au
principe et aux modalités d'un processus de paix.

Abdullah dans sa lettre avait écrit : « Je rejette cette
extraordinaire vision américaine selon laquelle le sang
d'un enfant israélien est plus précieux et plus sacré que
celui d'un enfant palestinien. Je rejette l'argument des
gens qui disent que lorsque vous tuez un Palestinien c'est
un acte de défense et lorsqu'un Palestinien tue un Israélien c'est une action terroriste. »

Bush lui répondit que « le sang innocent est le même,
qu'il s'agisse de Palestiniens, d'Israéliens, de juifs, de

chrétiens ou de musulmans », et il ajoutait qu'il « rejetait tout acte d'humiliation », formule qu'Abdullah interpréta comme une réponse à son évocation de la femme palestinienne maintenue sous la botte d'un soldat.

Cette réponse américaine plongea les Saoudiens dans l'enthousiasme. Tous étaient convaincus, comme Bandar, que « les positions exprimées dans cette lettre n'avaient pas été improvisées en trente-six heures. Ce devait être quelque chose que l'administration mûrissait depuis longtemps, et s'ils n'en avaient parlé à personne c'est qu'ils attendaient le moment propice ».

Persuadé d'un nouveau départ dans les relations américano-saoudiennes, Abdullah pressait Bush d'exprimer publiquement ce qu'il avait formulé dans sa lettre. Au début du mois de septembre, des officiels des deux pays envisagèrent ce que pourrait être l'étape suivante : un discours de Bush ou de Powell, une rencontre du président américain avec Arafat, à l'occasion de l'Assemblée générale des Nations unies... Toutes les options étaient discutées.

Bandar était euphorique et les deux pays multipliaient les promesses de bonne volonté : les Saoudiens continueraient à essayer de protéger les intérêts américains, et Washington réaffirmait sa volonté de relancer l'initiative de paix dans la région.

Le 10 septembre au soir, Bandar Bin Sultan fumait un cigare dans la piscine de sa résidence de Washington, apaisé, satisfait. Le 11 Septembre au matin, en contemplant la tragédie du World Trade Center, il comprit que tous ses espoirs venaient probablement d'être réduits à néant.

Mais il lui fallut attendre encore vingt-quatre heures pour découvrir le pire. Le 12 septembre à 22 h 30, un appel du directeur de la CIA, George Tenet, l'informa que 15 ou 16 des pirates de l'air étaient originaires d'Arabie Saoudite. « Ce fut, confia l'ambassadeur, comme si les tours jumelles venaient de tomber sur ma tête. »

Bin Laden sur écoute

« Est-ce que chaque pays comprend l'autre particulièrement bien, s'interrogeait Brent Scowcroft, le proche conseiller de George Bush. Probablement pas et je pense que, d'une certaine manière, nous évitons de parler des sujets qui constituent de vrais problèmes entre nous, parce que notre relation est en quelque sorte très polie. Mais tout reste en surface. »

Les malentendus et l'incompréhension existaient mais depuis plusieurs années les Américains avaient entre les mains suffisamment d'informations pour pouvoir dresser un tableau précis de l'état réel du royaume.

Depuis près de dix ans les satellites espions et les centres d'écoute de la NSA interceptaient les conversations entre les membres de la famille royale. Elles révélaient les divergences entre les hommes à la tête de cette monarchie théocratique mais aussi l'ampleur de la corruption et la peur de ces dirigeants qui transféraient des centaines de millions de dollars à des organisations fondamentalistes dont ils redoutaient que certaines ne travaillent à leur renversement.

Dès 1996, ces interceptions avaient appris aux Américains que l'argent saoudien soutenait Bin Laden, et de nombreux autres groupuscules, dans le Golfe, le Moyen-Orient et l'Asie du Sud-Est. Et cette myriade d'organisations allait peu après se fédérer au sein d'Al Quaeda.

Bin Laden n'était pas un inconnu pour la NSA. Ses appels étaient régulièrement écoutés. Selon James Bamford, l'auteur de *Body of Secrets*, le chef terroriste utilisait un portable INMARSAT qui transmet et reçoit les appels à travers l'organisation satellite maritime internationale. C'était un système utilisé sur les navires et par les équipes effectuant de la prospection pétrolière. Bin Laden savait qu'il était sur écoute, mais selon les experts, il semblait n'y attacher aucune importance. Parfois, pour impressionner des visiteurs de marque, les officiels de la NSA leur faisaient écouter des enregistrements de cassettes où Bin Laden parlait avec sa mère.

Les écoutes révélaient aussi, selon Seymour Hersh, les complots entre membres de la famille royale pour détenir la réalité du pouvoir ou encore des discussions portant sur le partage de fructueuses commissions. Selon Hersh, plusieurs conversations interceptées montraient que Bandar Bin Sultan négociait des ventes d'armes entre Londres, le Yémen et l'Union soviétique qui comportaient des commissions de plusieurs millions de dollars.

Le prince héritier Abdullah s'était efforcé de juguler les privilèges des 8 000 princes en tentant de les obliger à régler leurs notes de téléphone. Le montant des factures téléphoniques impayées atteignait, entre 1998 et 2000, le chiffre astronomique de 880 millions de dollars ; 20 % des revenus pétroliers du pays étant d'autre part réservés aux membres de la famille royale. Dans ses rapports, la NSA révélait une dynastie régnante devenue totalement étrangère à la majorité de ses sujets, de plus en plus séduits par l'islamisme radical que Bin Laden prêche et incarne.

Après la tragédie du 11 Septembre et les révélations qui, au fil des semaines, décrivaient le poids prépondérant pris par les Saoudiens dans l'élaboration et l'exécution des attentats, l'Arabie Saoudite faisait figure d'accusé.

L'ambassadeur à Riyad durant la guerre du Golfe, Charles Freeman, évoquant la question posée par George

W. Bush, après le 11 Septembre : « Etes-vous avec nous ou contre nous ? » déclarait : « Si on applique cette question à l'Arabie Saoudite, en effet où se tiennent-ils ? »

L'ancien secrétaire d'Etat de Bill Clinton, Madeleine Albright, ajoutait : « Les Saoudiens ont un comportement étrange qui consiste à ne pas vouloir être vus, dans leur propre entourage, comme ayant des relations avec les Etats-Unis, ou cherchant à établir une relation avec nous. »

L'avenir de la présence militaire américaine dans le royaume, où stationnaient 5 000 hommes et des forces navales et aériennes, était également en suspens. On affirmait qu'Abdullah souhaitait leur retrait, et un expert saoudien bien informé, Nawaf Obeid, affirmait : « Dans une logique et perspective de sécurité nationale, il est clair que la présence américaine sur le sol saoudien n'est plus une option viable. C'est la pensée qui prédominait à Riyad, bien avant les événements du 11 Septembre. »

Pourtant, en public, le maximum était fait pour sauver les apparences, alors que les médias américains se montraient extrêmement critiques quant à la coopération réelle des Saoudiens dans la lutte contre le terrorisme. Un scepticisme qui s'exprimait aussi régulièrement au sein du Congrès. Abdullah avait pris la parole à la télévision saoudienne pour accuser la presse américaine de conspirer à « saper la réputation du royaume ».

Bush l'avait immédiatement appelé : « Il a commencé, raconta Abdullah, par me dire qu'il était désolé, et a ajouté ensuite : nous ne l'accepterons pas, je ne l'accepterai pas, et beaucoup d'Américains ne l'accepteront pas. »

Al Jubeir, le conseiller diplomatique du prince héritier, confia peu après à des officiels américains : « C'est délirant d'imaginer que Riyad ne souhaite pas utiliser chaque arme disponible contre Al Quaeda. Bin Laden hait le gouvernement saoudien plus encore qu'il ne hait les Etats-Unis. »

Une rencontre désastreuse

Bush et le prince héritier Abdullah se rencontrèrent pour la première fois le 25 avril 2002. Le président américain invita le dignitaire saoudien dans son ranch de Crawford au Texas, un signe supplémentaire de l'importance qu'il attachait à cette visite.

Au terme de cinq heures d'entretien, « deux de plus qu'il n'était prévu », se plurent à souligner les délégations, les deux dirigeants affichent une mine satisfaite et, selon les propos d'un officiel de la Maison Blanche : « La rencontre a été extrêmement chaleureuse, personnelle, et aucune menace n'a été proférée. » Le vocabulaire diplomatique, soigneusement choisi, soulignait que, sur tous les sujets abordés, la relance du processus de paix israélo-palestinien, la guerre contre les Talibans, la lutte contre le terrorisme ou encore une éventuelle intervention en Irak, « l'identité de vue avait été totale ». C'était une présentation totalement fallacieuse de la réalité.

Les rencontres s'étaient déroulées dans la tension, l'exaspération et la colère, du moins du côté saoudien. Avant de s'entretenir avec Bush, Abdullah fut reçu par le vice-président, Dick Cheney, et cet entretien fut ponctué par de vives remarques d'Abdullah : « J'ai entendu, lança-t-il à Cheney, que certains de vos collaborateurs affirmaient que l'Arabie Saoudite serait prête à vous suivre dans une guerre contre l'Irak, malgré les protestations qu'elle émet en public. Non, la réponse est non ! J'ai dit non en Arabie Saoudite, je dis non maintenant et je dirais non demain ! » « Les traits de Cheney, selon un témoin, se figèrent, et il ne répliqua rien. »

Avec Bush, la colère d'Abdullah trouva un autre aliment. Un mois plus tôt le prince héritier avait formulé un plan de paix pour tenter de résoudre le conflit israélo-palestinien. Son initiative, pensait-il, renforcerait la détermination du Président d'aboutir à la création d'un Etat palestinien au cours des trois prochaines années. Il déclara à Bush : « Nous avons une lumière au bout du tunnel mais nous n'avons pas de tunnel. »

Il avait mis dans la balance tout son prestige, notamment auprès des pays arabes, en prenant cette initiative qui prévoyait à terme la reconnaissance de l'Etat d'Israël. Or, selon les confidences de plusieurs membres de sa délégation, il se sentit littéralement « insulté » par l'attitude du président américain. Bush connaissait à peine son plan de paix, en ignorait tous les détails, et ne l'évoqua que très brièvement au cours de l'entretien. Le prince héritier en sortit humilié. Selon un observateur, si un mot était approprié pour résumer cette rencontre, c'était bien celui de « désastre ».

La crise, désormais, était profonde, pourtant, officiellement tout le monde s'employait à la masquer. Une anecdote l'illustrait de façon caricaturale, même si elle remontait plus loin dans le temps. En octobre 2001, peu après le déclenchement des bombardements aériens contre l'Afghanistan, Donald Rumsfeld s'était rendu en Arabie Saoudite et une photo avait fait le tour du monde. On pouvait voir le secrétaire américain à la Défense s'entretenant avec le roi Fahd dans son palais de Riyad. Or Fahd, entouré en permanence de 26 médecins depuis sa violente attaque cérébrale de 1995, pouvait au maximum s'asseoir sur une chaise et ouvrir les yeux, mais la plupart du temps il était incapable de reconnaître ses interlocuteurs, même ses proches.

Un souverain transformé en légume « conversant » avec un ministre américain du sort de la région : c'était à la fois ridicule et surréaliste, mais aussi une illustration saisissante du nouveau cours des relations entre les deux pays : leurs responsables faisaient semblant de se consulter, de coopérer, mais en réalité les rancœurs et les soupçons lestaient chaque fois un peu plus profondément cette « amitié vieille de soixante ans », selon un responsable saoudien s'exprimant avant le 11 Septembre, qui ajoutait : « Par la profondeur des liens tissés elle est comparable en tout point aux "relations spéciales" entre Londres et Washington. »

En détruisant les tours du World Trade Center, les terroristes avaient littéralement pulvérisé cette « idylle », et les Américains semblaient soudainement découvrir « la face noire », la formule émanait d'un officiel, du royaume saoudien.

« Nous savions désormais, confiait un responsable du Pentagone qui avait accompagné Rumsfeld dans sa visite en Arabie Saoudite, que pendant que le ministre s'entretenait avec le roi et les princes, à quelques centaines de mètres du palais, dans les cafés et les écoles coraniques Bin Laden était considéré comme un héros dont les exploits alimentaient les conversations.

« Mort ou vif »

Le FBI et la CIA se plaignaient des réticences saoudiennes à leur fournir des informations sur les kamikazes. « Ils avaient trop peur qu'en remontant leurs traces notre liste s'allonge singulièrement », affirmait un agent de la centrale de renseignement.

Pourtant, Ousama Bin Laden était depuis plusieurs années un sujet de choix pour la CIA qui accumulait les informations sur le chef terroriste et les réseaux d'Al Quaeda, au point que ces renseignements étaient stockés dans une pièce spéciale, au siège de l'agence, à Langley, surnommée avec humour « The Bin Laden Room ».

Une question essentielle plongeait pourtant la CIA dans l'embarras, et elle évitait d'y répondre : quel usage effectif avait-elle fait de cette collecte ? Bin Laden avait été instrumentalisé par les Américains et la CIA durant la guerre menée en Afghanistan contre les Soviétiques, et une information troublante révélait qu'en juillet 2001, deux mois avant les attentats, le chef d'antenne de la CIA a Dubaï aurait rendu visite à Bin Laden, hospitalisé dans l'hôpital américain de l'Emirat, alors qu'il était recherché pour de nombreux attentats meurtriers. « Il a toujours été notre cible principale, mais chaque fois il réussissait à passer entre les mailles du filet », affirmait-on désormais, sans conviction au sein des services secrets américains.

« Mort ou vif », le slogan lancé par George W. Bush se transformait au fil des mois, malgré l'ampleur des opérations militaires lancées en Afghanistan, en « ni mort ni vif ».

On semblait aussi découvrir à Washington que de plus en plus de Saoudiens avaient rejoint des mouvements fondamentalistes qui aidaient, finançaient Al Quaeda. Chaque semaine, estimait-on, les collectes effectuées en Arabie Saoudite à la sortie des mosquées permettaient de recueillir 50 millions de dollars, dont une partie, à travers des réseaux aussi complexes qu'ingénieux, étaient transférés vers les réseaux terroristes.

En novembre 2001, lors d'une réunion à Bahreïn, le ministre saoudien de l'Intérieur, le prince Nayef, frère du roi, annonça publiquement que son « gouvernement n'avait pas arrêté ou détenu une seule personne ayant un lien avec les événements du 11 Septembre ».

Brent Scowcroft résumait l'attitude saoudienne avec le sens de la litote dont il avait le secret. Nommé par George W., du bureau du Foreign Intelligence Advisory Board, il avait lâché : « Les Saoudiens coopèrent... calmement, tranquillement. Ils sont prudents. Ousama Bin Laden est un Saoudien. »

Il expliquait également que la relation bilatérale avait longtemps fonctionné sur le principe « donner et prendre », et, se référant à l'opération Tempête du désert, il rappelait : « Nous avons essayé de nous adapter à leurs exigences en maintenant nos troupes à l'écart des villes, mais ils ont aussi coopéré en nous fournissant des bases sur leur territoire. »

Mais, là également, les choses se grippaient. La présence depuis onze ans sur la terre sainte de l'Islam d'une armée « d'infidèles » appartenant à un pays qui soutient Israël n'avait cessé d'exacerber les tensions. Cette situation avait été la raison invoquée par Ousama Bin Laden pour déclencher sa « Djihad ».

« Il n'y a pas de devoir plus important que celui de chasser l'ennemi américain de la terre sainte », avait-il déclaré en 1996.

Cette présence militaire américaine, essentiellement concentrée sur la gigantesque base aérienne Prince Sultan, située en plein désert, à près de cent kilomètres de Riyad, rendait les dirigeants saoudiens de plus en plus nerveux et réticents.

Washington et la monarchie wahhabite n'avaient plus désormais la même évaluation de la situation stratégique dans la région. Les Saoudiens s'étaient rapprochés de l'Iran, un voisin traditionnellement hostile que les Américains considéraient toujours comme une menace, et ils ne considéraient plus que l'Irak affaiblie représentait pour eux un danger alors que les responsables américains multipliaient les préparatifs d'invasion contre ce pays.

En outre, un fait fondamental, resté ignoré des Américains, était parfaitement décrit dans une thèse présentée à Harvard par le politologue saoudien Nawaf E. Obaïd : « Les agences de renseignements américaines n'ont jamais pris en compte l'influence du wahhabisme [l'islam fondamentaliste né en Arabie Saoudite en même temps que la dynastie des Seoud] sur les politiques saoudiennes, qu'il s'agisse de l'embargo pétrolier de 1973 ou du soutien aux Talibans. Les analystes américains ont sous-estimé, sous-évalué ou mal compris la nature, les tendances et les objectifs du mouvement wahhabite en Arabie Saoudite et les liens que les dirigeants séculiers entretenaient avec lui. » Il ajoute : « Le pays entre dans une période de changements énormes et rapides, ponctués par une croissance dramatique de la population, une baisse des revenus pétroliers et les incertitudes qui pèsent sur la succession royale. Dans cette situation, prédit-il, les religieux vont acquérir un pouvoir accru qui constituera un défi encore plus important pour les Etats-Unis. »

Graine du terrorisme

Le 26 août 2002, George Bush téléphona de son ranch de Crawford au prince héritier d'Arabie Saoudite. Pour le rassurer. Le Defense Policy Board, un organisme de réflexion rattaché au Pentagone et présidé par le « faucon » Richard Perle, avait laissé filtré dans la presse les propos tenus au cours d'une de ses réunions par un analyste de la Rand Corporation, un organisme proche du ministère de la Défense. L'intervenant qualifiait l'Arabie Saoudite de « graine du terrorisme » et de « premier et plus dangereux adversaire » des Etats-Unis au Proche-Orient. Il préconisait le gel des avoirs saoudiens et la scission de la province orientale du royaume renfermant les gisements et réserves pétrolières du royaume. Laurent Muraweic, un ancien conseiller du ministère français de la Défense, ajoutait : « Les Saoudiens sont actifs à tous les maillons de la chaîne terroriste, de la planification au financement, du militant de base à l'idéologue et au meneur... L'Arabie Saoudite soutient nos ennemis et s'attaque à nos alliés. »

Le ton était violent, l'analyse d'une extrême dureté envers le régime saoudien. Les réactions en provenance de Riyad reflétèrent un mélange de désarroi et d'inquiétude. Dans sa conversation avec Abdullah, qui dura dix-huit minutes, Bush l'assura que les vues exprimées par le collaborateur de la Rand « n'avaient rien à voir avec les positions prises au sein de mon administration, y compris par moi-même, le secrétaire à la Défense ou le vice-président ».

Ces dénégations diplomatiques ne masquaient pas le fait que les Saoudiens étaient de plus en plus tenus en suspicion par l'administration américaine. Plus de onze mois après les attentats du 11 Septembre, la volonté saoudienne de coopérer pleinement à l'enquête restait un vœu pieux. Des centaines de requêtes écrites envoyées par le FBI et les autres services à leurs homologues saoudiens, pour obtenir des informations sur des points précis, étaient demeurées lettres mortes. Les Saoudiens n'avaient toujours pas fourni la totalité des renseignements sur les 15 des 19 terroristes originaires de ce pays. Enfin, les pressions réitérées pour obtenir que le royaume gèle les comptes de Saoudiens suspectés de fournir des fonds à Al Quaeda se heurtaient là aussi à une passivité déconcertante.

En fait, Richard Perle avait rempli à merveille son rôle, exprimant à voix haute ce que l'administration ne pouvait officiellement formuler. Cette audition sonnait pour les Saoudiens comme un coup de semonce.

Alternant le chaud et le froid, George W. Bush reçut le lendemain, 27 août, pour une visite privée dans son ranch, l'ambassadeur saoudien à Washington, Bandar Bin Sultan et sa famille, notamment son épouse, la princesse Haïfa, fille de l'ancien souverain saoudien Fayçal, assassiné en 1975. Les deux hommes s'entretinrent de la coopération dans la lutte contre le terrorisme et évidemment de Saddam Hussein dont Bush réaffirma qu'il était « une menace pour la paix mondiale, une menace pour la paix régionale, et que le monde et cette région seraient plus sûrs et meilleurs sans lui ».

Un déjeuner réunit ensuite les deux couples auxquels se joignit Condoleeza Rice. Des photos de la rencontre, judicieusement choisies et diffusées par le service de presse de la Maison Blanche, montraient les deux hommes détendus, Bandar assis sur le bras d'un fauteuil, plaisantant avec Bush.

Bandar Bin Sultan était le personnage idéal pour entretenir l'illusion d'une entente sans nuage entre Washington et l'Arabie Saoudite. « Aucune trace d'islamisme radical chez lui, plaisante un responsable américain. Il adore fumer des cigares Cohibas et aurait trop peur que des gens comme Bin Laden et les réseaux d'Al Quaeda les lui confisquent. »

130 000 dollars

Bandar aimait vivre dans le luxe et sentir tous les regards converger sur lui dans les soirées washingtoniennes. Il aimait être au « cœur du jeu », selon un observateur, passer pour un homme d'influence ayant un accès direct au bureau ovale de la Maison Blanche. Mais hélas pour lui et l'administration Bush, l'illusion allait être de courte durée, et les retombées de l'enquête du 11 Septembre mirent au jour une réalité inquiétante.

En octobre, une commission jointe du Congrès enquêtant sur les attentats du 11 Septembre fut informée à huis clos qu'un étudiant saoudien, Omar Al Bayoumi, résidant en Californie, à San Diego, avait aidé Khalid Almihdhar et Nawaf Alhazmi, deux des pirates de l'air qui avaient lancé l'avion contre le Pentagone, à s'installer aux Etats-Unis et que, par ailleurs, il avait reçu de l'argent provenant de riches Saoudiens. Al Bayoumi avait travaillé pendant plusieurs années pour le ministère saoudien de la Défense et de l'Aviation avant de venir s'installer aux Etats-Unis. Quand les deux terroristes étaient arrivés à San Diego, et l'enquête révéla qu'ils arrivaient de Kuala Lumpur en Malaisie où ils avaient participé à une réunion importante d'Al Quaeda, il les avait accueillis à l'aéroport. Il leur avait également trouvé un logement pour lequel il avait déposé un chèque de caution à son nom correspondant à deux mois de location. Il les aida ensuite à s'inscrire dans des écoles de pilotage en Floride.

Al Bayoumi quitta les Etats-Unis juste avant les attentats pour la Grande-Bretagne où il fut brièvement détenu avant d'être relâché. Depuis on a perdu sa trace, mais tout laisse à penser qu'il est rentré en Arabie Saoudite.

En fouillant son appartement, les agents du FBI trouvèrent le numéro de téléphone d'un employé de l'ambassade d'Arabie Saoudite à Washington, et ils interrogèrent deux membres de la section des affaires islamiques de la Chancellerie sur d'éventuels appels de Bayoumi. Etant donné sa teneur « sensible », le rapport complet du FBI fut transmis à la Maison Blanche le vendredi 22 novembre. Bush en fut informé dès son retour d'Europe, le lendemain, dans la nuit du samedi.

Le magazine *Newsweek* venait juste de révéler l'information, qui fit l'effet d'une bombe, sur son site Internet : l'épouse de Bandar Bin Sultan avait versé de l'argent pendant plusieurs années à la femme d'un proche ami de Bayoumi.

Les chèques émis par la princesse Haïfa émanaient tous de la Riggs Bank, un établissement de Washington où elle possédait un compte. Bandar appela immédiatement le président de la banque qui fut réouverte en pleine nuit pour que des responsables de l'ambassade saoudienne puissent examiner le détail des chèques tirés et tenter de découvrir si certains avaient été endossés au profit d'un tiers.

L'affaire avait commencé en 1998, lorsque la femme de Bandar reçut une lettre d'un Saoudien installé à San Diego du nom de Basnan. Son épouse, de nationalité jordanienne, souffrait, disait-il, de graves problèmes de thyroïde qui exigeaient un traitement coûteux qu'elle ne pouvait payer, et son mari quémandait une aide.

La Zaka est un précepte de l'Islam qui recommande aux musulmans fortunés de consacrer un petit pourcentage de leur richesse à des causes humanitaires. En avril 1998, Bandar Bin Sultan fit sur ses fonds personnels un don de 15 000 dollars a cette femme. Entre novembre 1999 et mai 2002, son épouse lui versa chaque mois 2 000 dollars. Le montant total s'élevait à environ 130 000 dollars.

Interrogé à la télévision américaine, le numéro deux de l'ambassade, Al Jabeir, déclara qu'au moins un des chèques destinés à Mme Basnan pouvait avoir été endossé au profit de la femme d'Al Bayoumi. En réalité il semblait qu'il y en avait plusieurs.

Basnan et Al Bayoumi, voisins et amis à San Diego, tel était le constat auquel étaient parvenus les enquêteurs.

Certains soupçonnaient même Basnan d'avoir aidé lui aussi les deux terroristes. Ils s'étaient rencontrés à la mosquée, et Basnan avait confié être un sympathisant d'Al Quaeda et « admirer les héros du 11 Septembre ». Il avait été expulsé vers l'Arabie Saoudite le 17 novembre 2001 pour n'avoir pas de visa en règle, et sa femme, elle, avait été renvoyée en Jordanie.

L'idée que l'argent de la famille royale saoudienne ait pu, même indirectement, aider et financer les terroristes, provoqua un vent de panique à Riyad et un sentiment de colère chez de nombreux responsables américains. La princesse Haïfa confia que ces « révélations lui avaient fait l'effet d'une bombe tombant sur sa tête ». Il est étrange de constater qu'elle utilise pratiquement les mêmes termes que ceux employés par son mari lorsqu'il décrivit ses sentiments en apprenant que 15 des pirates de l'air étaient saoudiens. « C'est comme si les tours du World Trade Center tombaient sur ma tête. »

Les liens et les contacts des pirates de l'air étaient décidément surprenants. Dans le *New York Times* du 25 mars 2002, Judith Miller évoque le cas d'un autre terroriste, Abdulaziz Alomari, détenteur d'un compte à la Al-Rajhi Bank de Djeddah, propriété de la famille du même nom, une des plus riches d'Arabie Saoudite. Selon les enquêteurs, le nom et l'adresse de Salah Al-Rajhi, le frère du dirigeant de l'empire, Sulaiman, était consigné dans l'agenda téléphonique de Wadih El-Hage, l'ancien secrétaire des Bin Laden au Texas, reconnu coupable en 2001 dans les attentats commis en 1998 contre les ambassades américaines en Afrique.

A Washington le ton montait et l'on commençait à reprocher à l'administration Bush de ne pas avoir exercé de pressions suffisamment fortes sur les Saoudiens, de crainte de s'aliéner d'autres alliés arabes. On citait notamment un rapport récent du très influent Council of Foreign Relations, affirmant que l'Arabie Saoudite restait la plus importante source de financement pour Al Quaeda et critiquant les gouvernements américains et saoudiens pour ne pas avoir agi assez fermement. Le royaume, affirmait le rapport, a « porté un regard d'aveugle » sur le problème des organisations caritatives islamiques utilisées pour le financement des réseaux terroristes. Trois cents associations répertoriées sur le sol saoudien généraient plus de 4 milliards de dollars de dons annuels. Sur cette somme, 300 millions de dollars environ étaient « exfiltrés » à travers le monde par le relais de donations.

Le total des actifs gelés à travers la planète, depuis le 11 Septembre, se montait à 113 millions de dollars selon le ministère américain des Finances ; les Saoudiens ayant bloqué, pour leur part, 33 comptes, pour un montant total de 5,6 millions de dollars. Des résultats bien minces face à une menace terroriste d'une telle ampleur

D'autant que les agences de renseignement et les enquêteurs financiers avaient pu, au terme de longs et délicats recoupements, dresser la liste de neuf riches hommes d'affaires, identifiés comme finançant sur une large échelle les réseaux d'Al Quaeda. Sept d'entre eux sont saoudiens, l'un est pakistanais, le dernier égyptien. La Maison Blanche a pris connaissance de cette liste mais se refuse encore à l'utiliser et à la divulguer.

Le 3 décembre 2002, le *Wall Street Journal* publia une enquête sur les réseaux financiers d'un homme d'affaires saoudien, Yassim Al Qadi, âgé de quarante-six ans qui avait vécu plusieurs années à Chicago. Un mois après les événements du 11 Septembre, le Département américain du Trésor avait gelé ses avoirs en Europe et aux Etats-Unis en le qualifiant de « terroriste mondial ». Selon les enquêteurs, Qadi avait créé en Europe et en Afrique des organisations caritatives qui fournirent des millions de dollars au réseau Al Quaeda.

Jusqu'aux attentats du World Trade Center, les responsables américains avaient porté très peu d'intérêt aux réseaux financiers terroristes. Pourtant il existait depuis 1996 une liste dressée par les experts et contenant les noms de 31 organisations charitables saoudiennes fortement suspectées d'apporter une aide aux « cellules » des réseaux d'Ousama Bin Laden.

Dès octobre 2001, la fondation Muwafaq fut identifiée par les autorités comme servant de relais financier pour Al Quaeda. Ses comptes furent immédiatement bloqués. Le responsable de la fondation n'était autre que Yassin Al Qadi. Mais l'enquête révéla, là encore, d'étranges liens. La plus grande partie des 20 millions de dollars détenus par cette fondation provenait de la générosité d'un seul homme, inlassable bailleur de fonds, le banquier Khalid Bin Mahfouz. L'homme dont la prodigalité avait bénéficié à Ousama Bin Laden, son beau-frère, à Al Quaeda, et à George W. Bush, dont il avait financé, depuis les années 70, les calamiteuses activités pétrolières au Texas, allant jusqu'à le sauver de la faillite.

On peut toujours supposer que les financiers sont des gens désintéressés et fidèles en amitié, mais cette hypothèse ressemble davantage à un compte de fées pour grandes personnes qu'à la réalité. Alors pourquoi parmi tous les hasards improbables cette relation existant depuis plus de vingt ans entre l'actuel président américain et un homme soupçonné d'avoir financé Al Quaeda ? Etrange mystère dont la clé est peut-être fournie en partie par l'écrivain Paul Théroux, l'auteur de *Mosquito Coast*, décrivant dans l'un de ses livres un dîner entre un jeune universitaire et un influent banquier international : « Je connais la Chine, disait le professeur, sa population dépasse maintenant le milliard d'habitants. – Pas du tout, lui répondait avec un sourire amusé le banquier, il n'y a que deux habitants qui comptent et je les connais l'un et l'autre. »

Le prince Nayef, ministre saoudien de l'Intérieur et frère du roi, qualifia de « pures fabrications dépourvues de toute réalité » les informations laissant entendre que des officiels saoudiens avaient contribué à financer Al Quaeda. L'indignation du prince était à la mesure de son embarras, car les Américains possèdent désormais un certain nombre d'éléments accablants pour la famille royale : plusieurs de ses principaux membres, occupant des postes clés, auraient versé régulièrement depuis plusieurs années d'énormes sommes, se chiffrant au total à près de 200 millions de dollars, à Ousama Bin Laden pour qu'il ne commette plus d'attentats sur le territoire du royaume.

Au sein du Conseil national de sécurité à la Maison Blanche, un groupe de travail dirigé par Condoleeza Rice a transmis au président Bush, à la fin du mois de novembre, un plan d'action qui relève de l'ultimatum : si dans quatre-vingt-dix jours les autorités saoudiennes n'ont pas démantelé les circuits financiers terroristes, les Etats-Unis agiront unilatéralement pour traduire les suspects en justice.

Le royaume a beau fournir 1/6e des importations en pétrole des Etats-Unis, George W. Bush et son équipe, selon la formule d'un responsable du Pentagone, « resserrent le nœud coulant autour du cou de ces types ». Une véritable guerre psychologique dont l'objectif immédiat est d'arracher aux Saoudiens un accord pour l'utilisation des bases aériennes installées sur leur sol, en vue d'une guerre contre l'Irak. Les Saoudiens jusqu'ici, refusaient mais la peur de révélations américaines commence à les faire fléchir. La base Prince Sultan est au cœur du dispositif militaire américain. Son importance stratégique tient moins à ses pistes de décollage qu'au « centre des opérations combinées aériennes », installé dans un bâtiment au milieu de la base.

Extraordinairement sophistiqué, il permet de traiter les informations obtenues par images satellites ou provenant d'avions de reconnaissance, fournissant les rapports les plus complets sur le terrain ; il peut également assurer et contrôler les mouvements de centaines d'appareils opérant simultanément dans la région. Un outil essentiel. En cas de refus saoudien, les stratèges militaires américains peuvent toujours se replier sur le Qatar où ils ont installé un centre annexe, mais, confiait l'un d'entre eux : « C'est comme vouloir circuler à grande vitesse sur une autoroute avec une petite cylindrée. » Et d'ajouter : « Utiliser notre base du Qatar comme quartier général fait toujours partie pour nous d'un "plan b". Notre préférence reste à l'Arabie Saoudite, et nous préférerions travailler avec eux plutôt que devoir rompre les liens et partir. »

Le matin du 11 Septembre, on pouvait lire dans les pages d'un grand quotidien un éditorial fustigeant l'absence, au sein de l'administration Bush, de tout projet et de la moindre vision en matière de politique étrangère.

Les attentats survenus le même jour allaient métamorphoser cette équipe terne, indécise, imprécise, à l'image de Donald Rumsfeld décrit par William Kristol comme « un mauvais ministre de la Défense, qui s'est révélé un excellent ministre de la Guerre ».

George W. Bush pouvait lancer à ses collaborateurs, quelques jours plus tard, en survolant les décombres encore fumants du Pentagone : « Regardez bien, ce que vous contemplez, c'est le début de la Première Guerre du XXIe siècle. » Peu après, alors que se préparait la réplique militaire contre les Talibans, il promettait de « rallier le monde à la guerre contre le terrorisme ». L'ennemi était identifié. La « croisade », selon les propres mots de Bush, pouvait être lancée.

Des hommes munis de cutters comme seule arme avaient brusquement révélé à l'Occident l'ampleur d'une menace dont les services de renseignements prétendaient être informés depuis plusieurs années. Le contre-terrorisme américain traquait Bin Laden depuis les attentats contre les ambassades américaines au Kenya et en Tanzanie, et l'attaque dans le port d'Aden du croiseur

USS Cole. Al Quaeda avait alors annoncé dans un communiqué le déclenchement du Jihad contre les intérêts américains.

Des millions de dollars dépensés, des équipes enquêtant à travers le monde, n'avaient abouti qu'à un seul résultat : le constat exprimé par George Tenet, directeur de la CIA, devant la commission pour les questions de renseignement du Sénat, en février 2001 : « Le réseau terroriste de Bin Laden constitue la menace la plus immédiate et la plus sérieuse pour la sécurité nationale du pays. »

On avait pu cerner l'organisation de ses réseaux. « Il est le président-directeur général de Jihad Inc. dont une des filiales est jihad.com », ironisait un expert, soulignant l'utilisation d'Internet par les membres de ses cellules et leur parfaite adaptation à toutes les facettes de la mondialisation.

Un ancien officier de l'armée pakistanaise qui avait entraîné les Bérets verts américains avant de rejoindre les mouvements islamistes armés du Cachemire déclarait : « Les musulmans, tout comme les Américains, ont une vision globale. Il existe un nouvel ordre du monde américain, et cet ordre pose ses mains sur le Coran. Or, la totalité du globe appartient à Allah, et la loi totale d'Allah doit être appliquée sur l'ensemble de la planète. »

Deux ans avant les attentats contre les ambassades en Afrique, la CIA et la NSA avaient placé sur écoute cinq hommes soupçonnés d'appartenir à une cellule d'Al Quaeda au Kenya. Aucune information n'avait pu être obtenue, les suspects utilisant des pseudonymes et des mots de code. Le dirigeant occulte d'une multinationale secrète implantée à travers le monde, tel apparaissait Ousama Bin Laden avant que les avions de ligne ne s'écrasent contre les tours du World Trade Center et le Pentagone. Brusquement la menace prenait un autre relief, gagnant en gravité, en intensité et surtout... en réalité.

« Avons-nous affaire, s'interrogeait Olivier Roy, à un nouveau spectre qui hanterait le monde occidental, celui du "terrorisme international multiforme", aujourd'hui islamique, demain d'une autre nature, chaque fois mieux équipé, et qui, dans une stratégie d'apocalypse, ne viserait qu'à semer la mort et la destruction dans le monde des nantis en cherchant à s'emparer d'armes de destruction massive ? » Et il ajoutait : « Ce qui fait apparaître le 11 Septembre comme nouveau, c'est que d'un seul coup on visualise littéralement ce que pourrait être l'utilisation d'armes massives par un groupe terroriste. Mais la nouveauté est dans la perception du danger, non dans sa mise en œuvre concrète. »

Pour Thérèse Delpech, « neuf mois après avoir été investi avec de nettes priorités domestiques, le nouveau président a dû faire face à l'attaque la plus surprenante et la plus dévastatrice que l'Amérique ait jamais connue. Au début du mois de septembre 2001, il était difficile d'imaginer un président des Etats-Unis et un secrétaire à la Défense moins préparés à faire face à une telle catastrophe. Le premier avait été mal élu et jouissait d'une considération limitée, tant à l'étranger que dans son propre pays. Le second avait de grandes difficultés à s'imposer au Pentagone, et des rumeurs couraient même sur sa démission ».

Un virage à 180 degrés

Pourtant, un an et demi après ces attentats, Bush et son administration ont opéré un virage à 180 degrés. Bin

Laden, qui devait être capturé « mort ou vif », est toujours vif et insaisissable tandis que les réseaux d'Al Quaeda constituent un danger croissant pour la sécurité de l'Occident.

Pourquoi alors l'énergie, l'attention et les moyens de Washington se sont-ils concentrés désormais sur l'Irak de Saddam Hussein ?

Dès le début de l'année 2002, Donald Rumsfeld déclarait : « Le gouvernement de Saddam Hussein constitue désormais une menace beaucoup plus grande que celle qu'il représentait en décembre 1998 lorsque les inspecteurs de l'ONU ont quitté son pays. Il n'y a pas de doute que leur programme d'armes de destruction massive et leurs capacités militaires évoluent d'une manière qui leur est favorable. »

Une révélation saisissante. Entre janvier et septembre 2001, ni Bush ni Rumsfeld n'avaient souligné une seule fois l'ampleur du péril irakien.

Fait nouveau, une administration américaine inscrit la politique étrangère comme sa priorité absolue, mais face à un Bin Laden introuvable et dont la popularité ne cesse de grandir dans les opinions arabes, n'est-il pas tentant de se rabattre sur une cible aisément identifiable comme l'Irak ?

L'homme qui « a pensé l'impensable »

Ce glissement désignant Bagdad comme l'objectif à abattre s'est en réalité opéré pour la première fois quatre jours après les événements du 11 Septembre, marquant le début d'une lutte feutrée qui se poursuivra de manière ininterrompue, pendant de longs mois, jusqu'à la victoire finale des « faucons ».

Vendredi 14 septembre au soir, George W. Bush réunit

ses principaux conseillers à Camp David, la résidence de week-end des présidents américains. Ils sont rejoints le samedi matin par George Tenet, le directeur de la CIA, et les ministres adjoints des Affaires étrangères et de la Défense. Pendant plus de quatre heures, les options, les risques et l'impact d'une intervention en Afghanistan sont passés en revue.

Un homme demande alors à prendre la parole. Il se nomme Paul Wolfowitz et occupe le poste de ministre adjoint à la Défense. Il suggère que les opérations militaires en préparation ne visent pas seulement les Talibans et Al Quaeda mais d'autres groupes terroristes implantés au Moyen-Orient comme le Hamas et le Hezbollah. Il ajoute : « Plusieurs pays à travers le monde soutiennent le terrorisme. Qu'allons-nous faire face à cette réalité ? Naturellement il y a Al Quaeda et l'Afghanistan, mais nous ne devons pas envoyer un message selon lequel il existerait un bon et un mauvais terrorisme. Vous ne pouvez pas être contre Al Quaeda et soutenir le Hezbollah. » Il cite l'exemple de l'Iran qui finance ce mouvement, et surtout le cas de l'Irak.

Le secrétaire d'Etat Colin Powell réplique qu'il n'existe apparemment aucun lien entre l'Irak et les événements du 11 Septembre. Wolfowitz reprend alors la parole pour démontrer que Bagdad est au cœur de la menace et que ceux qui répondent, face à la perspective d'un changement de régime à Bagdad, « pas encore » pensent en réalité « surtout pas ». Il s'exprime d'un ton passionné et insistant, au point qu'à deux reprises il coupe la parole à son ministre Donald Rumsfeld qui pourtant partage ses vues.

Lors d'une interruption de séance, le secrétaire général de la Maison Blanche, Andrew Card, s'approche des deux hommes pour leur dire : « Il serait souhaitable que le ministère de la Défense s'exprime d'une seule voix », ce qui est une manière polie de demander à Wolfowitz de se taire.

Son intervention a cependant suffisamment intéressé et intrigué Bush pour qu'il lui demande, à l'issue de la réunion, de rester. Dans ce chalet en rondins baptisé « Laurel Lodge », assis à proximité de la cheminée, Bush et un groupe restreint de conseillers, dont Condoleeza Rice, écoutent Wolfowitz approfondir ses arguments. Il explique que le défi ultime est plus important que le problème posé par Ousama Bin Laden et l'Afghanistan, et surtout que le Président doit appréhender la menace terroriste dans sa globalité en y intégrant les pays comme l'Irak qui la financent et la soutiennent.

Paul Wolfowitz, cinquante-huit ans, ancien doyen, à Princeton, de la prestigieuse école « of Advanced International Studies », donne à Bush le sentiment, fondé, d'être le seul à avoir réfléchi à cette nouvelle réalité. L'agenda diplomatique de Condoleeza Rice et Colin Powell est alors encombré par la Chine et la Russie, celui du vice-président Cheney par les problèmes domestiques, tandis que Rumsfeld est uniquement préoccupé par les débats sur les missiles de défense.

Wolfowitz a « pensé l'impensable », et l'architecture géopolitique qu'il propose à Bush a tout pour séduire un président à la fois novice dans ses connaissances, tranché dans ses vues et opinions, et fonctionnant à l'instinct. Missionnaire et messianique, Wolfowitz exprime aussi une croyance inébranlable en la capacité de l'Amérique à édifier un monde meilleur, reposant sur ses valeurs.

Le Président, dépourvu de tout intellectualisme, pour qui les habitants de la Grèce étaient des Gréciens, est immédiatement séduit par cet universitaire juif et fils d'universitaire qui parle six langues. « Je ne crois pas du tout irréaliste d'envisager, lui déclare Wolfowitz, qu'un

Irak correctement administré, après la chute de Saddam
– et ce pays possède des atouts sans commune mesure
avec ceux de l'Afghanistan –, puisse devenir la première
démocratie du monde arabe, excepté la brève histoire du
Liban. Même s'il s'agit d'une démocratie de style roumain, ce serait déjà une avancée, par rapport à tous les
autres pays du monde arabe. »

Pour les experts du Département d'Etat qui entourent
Colin Powell, ces rêves d'un Irak démocratique relèvent
d'un délire utopique, et pour eux le scénario d'une
occupation étrangère aboutirait inéluctablement à la
fragmentation du pays en enclaves ethniques qui assiége-
raient les garnisons américaines. Un véritable cauchemar.

« Wolfowitz, confie un des conseillers de Powell,
séduisit le Président avec des concepts et des extrapola-
tions, lui disant : "Regardez le cas des Kurdes irakiens ;
dans leur région sous protection américaine, au nord du
pays, ils ont créé une 'société ouverte' selon les standards
existant au Moyen-Orient."

« En réalité, ajoute ce conseiller, ces Kurdes supposés
nos alliés se livrent à tous les trafics possibles avec le
régime de Saddam, surtout avec le propre fils du dictateur
irakien qui détient la haute main sur les circuits économiques parallèles. »

La démarche de Wolfowitz ressemble étrangement à
celle de Robert McNamara, quarante ans plus tôt, durant
la guerre du Vietnam. Ancien président-directeur général
de Ford, McNamara appréhendait alors le Sud-Vietnam
comme un gestionnaire examine une entreprise en crise,
victime d'erreurs de management et qu'il convient de
restructurer, redresser. McNamara appartenait à l'équipe
de John Kennedy, des hommes décrits par David
Halberstam, avec un mélange d'admiration et d'ironie,

comme les « meilleurs et les plus intelligents ». Ils représentaient, tel Wolfowitz aujourd'hui, ce que le monde intellectuel et universitaire américain avait produit de plus réussi et d'achevé, et pourtant leurs visions et leurs actions se fracassèrent littéralement sur les réalités.

« Identifiez les problèmes et vous possédez la solution », confiait McNamara qui affichait une foi aveugle dans les démarches empreintes de rationalité. Wolfowitz, quatre décennies plus tard, porte au fond sur l'Irak le même diagnostic erroné, entretenant une confusion supplémentaire entre lutte contre les armes de destruction massive et changement de régime. A ceux qui avancent l'idée que l'élimination de ces armes devait être le nouvel objectif prioritaire de la guerre contre le terrorisme, Wolfowitz et le petit groupe constitué autour de lui rétorquent : « Le changement de régime est le moyen de parvenir à cet objectif. »

Paul Wolfowitz en effet n'est pas un homme isolé. Son ami le plus proche, avec lequel il partage une totale identité de vues, est Richard Perle. Il n'occupe aucun poste officiel au sein du gouvernement, et pourtant il dispose d'un bureau dans l'aile E du Pentagone, à proximité de Rumsfeld, ainsi que d'un accès direct à toutes les informations classées confidentielles ou secrètes. Durant les années Reagan, il fut sous-secrétaire à la Défense et en conserva le surnom de « prince des ténèbres » pour son goût des manœuvres en coulisses et du secret. Croisé implacable de l'anticommunisme, il avait acquis une influence hors de proportion avec l'importance réelle de ses fonctions, au point que, quand Ronald Reagan rencontra en 1986 Gorbatchev, lors du sommet de Reykjavik, Perle était à ses côtés le seul représentant du ministère de la Défense. Son ministre Caspar Weinberger avait été supplanté.

En 1987, il démissionna du Pentagone et signa un contrat de 300 000 dollars pour écrire un thriller politique. Le roman, *Hard Line* (« Ligne dure »), décrivait, au temps de la guerre froide, un responsable du Pentagone luttant contre la bureaucratie et les libéraux partisans d'une attitude conciliante avec l'Union soviétique.

Perle est un idéologue et un provocateur que Donald Rumsfeld aurait voulu choisir comme adjoint, mais il savait que sa personnalité controversée aurait déclenché un veto du Sénat. Il le nomme alors, au début de l'été 2001, à la présidence du Defense Policy Board, un organisme consultatif chargé de réfléchir à la future politique de défense des Etats-Unis. L'ancien secrétaire d'Etat Henry Kissinger siège à ses côtés. Après les événements du 11 Septembre, Perle transforme ce poste subalterne en une formidable caisse de résonance, et lui-même se métamorphose en agent d'influence. Il applique au fond à l'Irak exactement la grille d'analyse qu'il a défendue à propos de l'URSS.

Selon un observateur, « Parmi les faucons, Perle joue le rôle pratique de la marionnette s'exprimant à la place du ventriloque. Il permet ainsi à l'administration Bush d'exprimer publiquement ce qu'officiellement elle est obligée de taire. Ainsi Rumsfeld refuse de s'exprimer en détail sur un renversement du régime en Irak ; Perle, lui, refuse quasiment de parler d'autre chose ».

Colin Powell le qualifie, lui et son réseau, de « bombardiers ». Quand un journaliste demande à Perle :

— Qu'arrivera-t-il ensuite si nous allons en Irak et que nous renversons Saddam Hussein ?

— Eh bien, je pense que ce sera fini pour les terroristes.

— Pourquoi êtes-vous aussi optimiste ?

— Parce que, ayant détruit les Talibans et le régime de Saddam Hussein, le message adressé aux autres est : vous êtes les suivants. Deux mots. Une très efficace diplomatie. Vous êtes les suivants sur notre liste, et si vous n'éliminez pas les réseaux terroristes installés sur votre territoire, eh bien nous vous éliminerons aussi.

Les faucons brisent toutes les règles

Perle et Wolfowitz, qui siègent également tous deux au sein de l'influente « Commission trilatérale », se sont rencontrés en 1976 au sein du « Team B », une équipe constituée autour du directeur de la CIA de l'époque, George Bush, pour évaluer l'ampleur de la menace soviétique et rédiger un rapport. Bush avait rassemblé au sein de ce groupe les partisans d'une ligne dure envers Moscou pour qui Henry Kissinger, l'initiateur avec Nixon de la politique de détente, faisait figure d'antéchrist.

Le texte dont ils accouchèrent était proprement apocalyptique. Ils dépeignaient une Union soviétique avant tout expansionniste, développant des programmes d'armes nouvelles dont en réalité elle ne se dota jamais. Par contre l'analyse passait totalement sous silence les difficultés et les échecs croissants de l'économie soviétique. Les conclusions du « Team B » étaient sans appel : Moscou pouvait déclencher et gagner une guerre nucléaire. Les auteurs de ce texte le concevaient d'abord comme une arme politique pour contrer les partisans, à Washington, d'un contrôle des armements et d'une baisse des dépenses militaires.

Paul Wolfowitz l'exprime très clairement : ce rapport était conçu comme « une attaque de guérilla contre la pensée conventionnelle et, dans ce cas précis, la tendance marquée des agences de renseignements à penser que leurs adversaires raisonnent de la même manière qu'eux ».

Nicolas Lemann écrit dans le *New Yorker* : « Ce qui rend les faucons si intéressants, c'est qu'ils semblent briser toutes les règles. Le monde de la politique étrangère repose sur un consensus bipartisan que les faucons ont défié depuis trente ans. Ils se sont prononcés contre la détente avec l'Union soviétique, et aujourd'hui ils détiennent plus d'influence que jamais. Le président Bush insiste sur l'absolue loyauté personnelle dont doivent témoigner ses collaborateurs et sur l'impérieuse nécessité que tout débat [au sein de son administration] reste interne, mais les faucons ont d'autres objectifs que la simple réélection de Bush. Ils annoncent ou prennent des décisions qui anticipent celles du Président (Paul Wolfowitz, une semaine après le 11 Septembre, déclarait que les Etats-Unis devaient en finir avec les Etats qui soutiennent le terrorisme). L'attitude de Washington envers ses faucons semble être un mélange de désapprobation officielle et d'admiration rentrée. Ils manifestent une imprudence qui habituellement rend impossible leur nomination à des postes officiels, et pourtant ils ont détenu et conservé des fonctions de haut rang. Leur opiniâtreté et leur radicalisme intellectuel leur confèrent une influence disproportionnée. Les origines des positions doctrinales exprimées par Bush au cours de l'année écoulée peuvent clairement être attribuées aux faucons. »

Ces hommes sont d'autant plus efficaces qu'ils se connaissent tous depuis près de trente ans et qu'ils constituent un véritable réseau parvenu aux plus hautes positions du pouvoir.

Outre Wolfowitz et Perle, les deux poids lourds de l'administration Bush, le vice-président Cheney et le ministre de la Défense Rumsfeld se connaissent depuis 1969, sous l'ère Nixon. Rumsfeld fut à deux reprises le patron de Cheney, d'abord comme « directeur du bureau de l'opportunité économique » (*sic*), puis comme secrétaire général de la Maison Blanche sous Gerald Ford, poste auquel Cheney lui succéda quand Rumsfeld devint ministre de la Défense, fonction qu'occupa à son tour Cheney sous Bush père. Les deux hommes sont très liés, et les couples Rumsfeld et Cheney passent de fréquentes vacances ensemble. Durant la campagne présidentielle de 2000, Cheney était le conseiller le plus proche de George W., mais dans les coulisses Rumsfeld était également très écouté sur les questions de défense antimissile.

Le tout-puissant bras droit du vice-président, Lewis Libby, surnommé « Scooter », rencontra Paul Wolfowitz à l'université de Yale où il suivait ses cours de sciences politiques, « littéralement fasciné ». Il devint son collaborateur au sein de l'administration Reagan, au Département d'Etat. Libby fut ensuite l'adjoint de Wolfowitz qui, sous Bush père, occupa la fonction de secrétaire d'Etat adjoint à la Défense, responsable de la planification politique, sous l'autorité de Dick Cheney. Durant la guerre du Golfe, en 1990, Wolfowitz fut un des premiers à prôner l'envoi de troupes au sol.

Ces hommes, « plus Perle au bord du terrain », estiment que, si les Etats-Unis n'agissent pas rapidement, le monde devenu incertain et dangereux depuis la fin de l'ère bipolaire échappera bientôt à tout contrôle. Pour eux l'Amérique a parfaitement le droit de frapper militairement la première, et ils considèrent George W., infiniment réceptif à leur activisme et à leurs idées, comme beaucoup plus proche de Ronald Reagan que de son père.

« Croyez-moi ! »

Pendant que George Tenet, le directeur de la CIA, développait le concept de « terrorisme sans Etat » et que Powell plaidait pour des « sanctions intelligentes » envers l'Irak qui allégeraient les restrictions pesant sur les ventes de médicaments et de nourriture mais renforceraient la lutte contre les circuits parallèles permettant à Bagdad de se réarmer, le quatuor Cheney, Rumsfeld, Wolfowitz, Perle durcissait ses positions envers l'Irak.

« Ils ont la doctrine mais il leur manque toujours les preuves permettant de relier Bagdad aux attentats du 11 Septembre », confiait en janvier 2002 un de leurs collaborateurs. Quelques semaines après le 11 Septembre, Wolfowitz envoya à Londres l'ancien directeur de la CIA James Woolsey, qui est un de ses amis. Woolsey voyagea dans un jet de l'armée de l'air américaine avec pour mission de mettre en évidence les connections irakiennes. Sans succès.

Une information courut selon laquelle le chef du commando, Mohamed Atta, avait rencontré à Prague un membre des services secrets irakiens. Dans un premier temps, le renseignement fut confirmé par le ministre tchèque de l'Intérieur qui revint ensuite sur ses propos, se montrant beaucoup moins affirmatif.

Le président Vaclav Havel tua définitivement la piste praguoise, lors d'une rencontre avec George W. Bush. Le rapport qui lui avait été transmis et qu'il porta à la connaissance du président américain infirmait totalement la rumeur. Non seulement Atta n'avait pas été en contact avec des agents irakiens, mais sa présence à Prague apparaissait plus qu'incertaine.

Indifférents « au principe de réalité », les faucons ont pourtant martelé cet argument pendant de nombreux mois. Questionné sur les liens entre Saddam Hussein et les réseaux terroristes en général, Wolfowitz évoque la mort récente et suspecte, à Bagdad, d'Abou Nidal, qui avait pourtant abandonné toute action violente depuis plusieurs années ; et il ajoute que les systèmes d'armes, chimiques ou biologiques, possédés par l'Irak constitueraient un danger supplémentaire entre les mains du terrorisme international. D'où la nécessité d'une guerre.

Une foi aveugle dans leurs propres concepts et un esprit doctrinaire guident l'action de ces hommes. Quand le journaliste David Corn demande à Richard Perle : « Quelles sont les preuves que Saddam représente une menace immédiate pour les Etats-Unis ? », Perle lui répond : « Croyez-moi ! »

Alors que Bagdad ne devrait pas être le seul front ouvert dans une guerre contre le terrorisme, ils en font le cœur du problème ; ils se plaisent à évoquer l'effondrement de l'Union soviétique, la grande victoire de Ronald Reagan, mais semblent oublier que l'ancien président américain a gagné, non pas en lançant une action militaire contre Moscou, mais en déstabilisant l'URSS d'abord à sa périphérie, Pologne, Afghanistan.

« L'Irak est sur mon agenda »

« Washington, selon une formule, est une ville où tout le monde se livre un combat sans merci pour capturer l'esprit du Président. » Eh bien, « les faucons » sont parvenus à leurs fins.

Une victoire amorcée dès le 15 septembre, lorsque George W. Bush écouta, passionné, l'exposé de Wolfowitz qui lui laissait également entrevoir la recomposition géopolitique qui découlerait de l'effondrement du régime de Saddam. Pour le ministre adjoint à la Défense, l'Iran, autre Etat terroriste, serait désormais encerclé par des pays alliés des Etats-Unis : l'Afghanistan à l'est, le Pakistan à l'est et au sud, le Turkménistan au nord et au nord-est, la Turquie au nord-ouest, et enfin l'Irak à l'ouest.

« En arrivant à Camp David, rapporte un de ses proches, Bush était dans l'état d'esprit suivant : "Apportez-moi la tête d'Ousama Bin Laden" (une plaisanterie avec le titre du film de Sam Peckinpah : *Apportez-moi la tête d'Alfredo Garcia*) ; deux jours plus tard, en rentrant à la Maison Blanche, sa vision avait évolué. Il déclare dès son retour, à Condoleeza Rice, sa plus proche collaboratrice : "Nous allons commencer par nous occuper d'Ousama Bin Laden, de ses lieutenants et d'Al Quaeda, mais l'Irak est sur mon agenda, je pense qu'ils sont dans le coup. Ce sera l'étape suivante." »

Au début du mois d'avril 2002, il confia pour la première fois que « le changement de régime » en Irak était son objectif. En octobre 2002, Richard Perle brossa un tableau louangeur de George W. Bush. « Je n'ai aucun doute, déclara-t-il, qu'il possède la vision qui était celle de Ronald Reagan et qu'il a le potentiel pour opérer de très importants changements, en Irak et partout ailleurs dans la région. »

En septembre 2000 déjà, un rapport rédigé par « The Project for The America Century » affirmait : « A aucun autre moment de l'Histoire, l'ordre et la sécurité nationale n'ont été aussi favorables aux intérêts et idéaux américains. Le défi pour le siècle à venir est de préserver et mettre en valeur cette "paix américaine". » Les auteurs du rapport étaient Paul Wolfowitz et Lewis Libby.

La démarche de ces faucons s'adosse à un soutien sans faille à Israël. En 1996, une analyse rédigée notamment par Perle et destinée au futur Premier ministre israélien

Benjamin Netanyahu estime qu'Israël, en collaboration avec la Turquie et la Jordanie, devrait s'efforcer d'affaiblir la Syrie. « Un moyen pour mettre un frein aux ambitions régionales de la Syrie serait le remplacement de Saddam à la tête du pouvoir en Irak. »

Perle collabore avec le groupe de presse Hollinger qui publie le *Daily Telegraph* en Grande-Bretagne, et en Israël il siège au comité directeur du *Jerusalem Post*, deux organes de presse conservateurs. Il intervient également, comme Wolfowitz, sur la chaîne d'information Fox News Channel, le concurrent de CNN, qui appartient au magnat des médias Rupert Murdoch et qui leur offre une véritable tribune. Chercheur à l'American Entreprise Institute, un des Thinktanks (centre de recherche et de réflexion) qui a fourni bon nombre de cadres à l'administration Reagan et à celle de George W. Bush, Perle est très lié avec David Wurmser, le responsable du Département des études sur le Moyen-Orient au sein de cet organisme. La femme de Wurmser, Meyrav, est la cofondatrice avec le colonel Ygal Carmon, un ancien responsable des services de renseignements militaires israéliens, du Middle East Media Research Institute (MEMRI) qui traduit et analyse la presse arabe, d'une manière pour le moins dépourvue d'indulgence.

Meyrav Wurmser collabore également, comme Perle, au Middle East Forum, dont l'un des chercheurs, Laurie Mylroie, a notamment publié *La Guerre inachevée de Saddam contre l'Amérique*, ouvrage dans lequel elle s'efforce de démontrer que Bagdad était à l'origine du premier attentat contre le World Trade Center, en 1993.

Wolfowitz apporte cependant une touche plus nuancée. Il professe une immense admiration pour le courage de Sadate se rendant à Jérusalem et prononçant un discours de paix. Ceux qui le connaissent bien estiment qu'il se montre moins préoccupé par la sécurité d'Israël que par

l'espoir de voir apparaître un islam plus modéré. Durant
la guerre du Golfe, c'est lui qui persuada le gouvernement d'Itzak Shamir de ne pas répliquer si des scuds irakiens étaient lancés contre le territoire hébreu. « Il aura
fort à faire pour arracher le même accord avec Ariel
Sharon », nous confie un collaborateur du Premier
ministre israélien.

Cet appui à l'Etat hébreu, et notamment à la droite,
incarnée par le Likoud, s'accompagne de critiques inlas-
sables envers les régimes arabes « non démocratiques »,
et particulièrement les deux plus proches alliés de
Washington, l'Egypte et l'Arabie Saoudite.

Au sein du Pentagone, Rumsfeld est décrit comme le
« P-DG de l'entreprise et Wolfowitz comme le penseur
stratégique qui l'alimente en idées ».

« Paul, déclare Vin Weber, un de leurs proches, est le
cerveau qui élabore les stratégies, les politiques et leurs
implications géostratégiques. » Certains critiques affirment que le ministre de la Défense est en réalité totalement sous l'influence de son adjoint, et sa vision, en
privé, du conflit israélo-palestinien est pour le moins
tranchée. A l'occasion d'une rencontre avec le personnel
du Pentagone, le 8 août 2002, le ministre de la Défense
parla des « prétendus territoires occupés », expliquant
qu'il s'agissait de zones perdues par les pays ayant fait
la guerre à Israël en 1967. Depuis lors, ajouta-t-il, « les
Israéliens ont fait quelques implantations dans diverses
parties de la prétendue zone occupée, qui résulte d'une
guerre qu'ils ont gagné... Ils ont offert diverses portions
de ce prétendu territoire occupé, mais à aucun moment
cela n'a été accepté par l'autre côté ».

La bête noire des faucons

Aux yeux de Rumsfeld, Cheney et Bush, Paul Wolfowitz dispose d'une incontestable légitimité. En 1979,
douze ans avant l'opération Tempête du désert, jeune
analyste au Pentagone, il avait rédigé un rapport secret
sur les menaces dans la région du Golfe, où il soulignait,
déjà, le risque que l'Irak représentait pour ses voisins et
les intérêts américains.

Bête noire des faucons : le secrétaire d'Etat Colin
Powell. Wolfowitz a confié à l'un de ses proches qu'il
« avait accepté le poste de numéro 2 du Pentagone en
grande partie pour avoir l'œil sur Powell et le contrer ».

L'affrontement est sans merci mais se déroule à fleu-
rets mouchetés.

« Il est excessivement prudent, déclare un officiel en
parlant de Powell, prudent au point de rejeter toutes les
options audacieuses même si elles sont parfaitement
fondées ».

« La prudence n'est pas un vice, réplique Powell, je
pense que c'est une vertu. Et si la prudence était un
défaut aussi terrible, je suis sûr que tous les responsables
avec lesquels j'ai travaillé au cours des années écoulées
ne m'auraient pas gardé. »

Les faucons rappellent son attitude au cours de la crise
du Golfe, son refus alors que la tension montait d'envoyer des navires croiser dans la région pour que Saddam
reçoive un signal clair de la détermination américaine ;
une mesure qui aurait peut-être permis d'éviter l'invasion
du Koweit. L'homme qui plaidait alors le plus ardem-
ment pour une telle décision était Paul Wolfowitz.

Ensuite, Powell défendit l'option d'une période prolongée de sanctions politiques et économiques envers Bagdad avant l'envoi de troupes. Enfin, après cinq jours de

guerre terrestre, alors que tous les renseignements montraient que la moitié des unités de la garde républicaine, les troupes d'élite de Saddam, avaient pu s'échapper, il s'opposa à leur bombardement, craignant que l'Amérique n'apparaisse comme « trop brutale ». Dès septembre 2001, William Kristol, directeur de l'influente revue conservatrice *Weekly Standard*, écrivait que Bush père était entré en guerre contre l'Irak, « malgré la résistance de Powell », et il encourageait son fils à faire de même.

Bob Woodward, le journaliste du *Washington Post* à l'origine de l'enquête du Watergate, rapporte qu'en 1993, durant la présidence Clinton, Powell, alors chef d'état-major, avait manifesté la même prudence et une réticence identique à l'envoi de troupes américaines en Bosnie, alors même que les Serbes multipliaient les massacres de musulmans. Il estimait, comme durant la guerre du Golfe, qu'une intervention ne pouvait être envisagée qu'avec l'envoi massif de troupes au sol, et selon lui l'opinion américaine n'admettrait pas de voir les vies de ses soldats risquées dans un conflit qu'il qualifiait d'« insoluble ». Dix ans plus tard, la paix est revenue en Bosnie.

Son attitude avait provoqué une réaction de Madeleine Albright, alors ambassadeur auprès des Nations unies : « Quel est l'intérêt de posséder cette superbe force militaire dont nous parlons autant si nous ne pouvons pas l'utiliser ? »

Les années Clinton sont pour Bush et ses collaborateurs une référence infamante. Au cours d'une réunion à la Maison Blanche, alors que Powell plaidait encore une fois pour une approche lente et modérée envers l'Irak et l'accord de tous les alliés, Rumsfeld lui avait rétorqué : « Colin, vous ne travaillez plus pour Clinton. »

Le camp du secrétaire d'Etat fait remarquer, avec une

justesse non exempte de perfidie, que tous ceux qui prônent un affrontement armé avec l'Irak n'ont eux-mêmes
aucune expérience de la guerre. Alors que Powell était
au Vietnam, même s'il a peu combattu, Cheney, Wolfowitz, le secrétaire général de la Maison Blanche, Andrew
Card, et le conseiller présidentiel, Karl Rove, ont évité
toute incorporation militaire. George W. Bush, lui, a
effectué sa période militaire loin des rizières, dans la
garde nationale du Texas qualifiée par un humoriste
d'« ultime rempart pour protéger le Texas contre une
invasion imminente de l'Oklahoma ».

« Dick Cheney, le stratège »

Vue de l'étranger, la perspective est probablement
totalement faussée. Les Européens croient ou ont besoin
de croire que la lutte est serrée entre Powell et les faucons, mais en réalité l'affrontement a toujours été inégal.
Powell est adossé à un ministère des Affaires étrangères
dont les cadres sont depuis longtemps démotivés et
démoralisés. Sur tous les dossiers sensibles, ils sont mar-
ginalisés au profit de la Maison Blanche et du Pentagone.
Même parmi ses proches collaborateurs, Powell doit
composer avec des faucons comme John Bolton, le sous-
secrétaire d'Etat pour la Sécurité internationale et le
Contrôle des armements, qui a été nommé directement
par le vice-président, Dick Cheney.

Un déséquilibre qui s'est encore accentué avec le poids
accru du Pentagone qui dispose désormais du budget de
fonctionnement le plus important de toute son histoire :
près de 400 milliards de dollars, soit plus que les budgets
militaires réunis des 25 nations suivantes.

Pourtant les chefs militaires se montrent eux aussi
inquiets. Le responsable du Central Command (Cent-

com), le général Tommy Francks, a rencontré George Bush près de vingt fois en quatre mois. Francks, comme Powell, est un homme prudent, un militaire politique qui cherche plus à « se couvrir qu'à agir », selon un de ses collaborateurs. En cas de guerre contre l'Irak, le Centcom installé sur la base de Mac Dill en Floride, près de Tampa, coordonnera l'ensemble des opérations. Les stratèges du Pentagone divisaient le monde en zones d'intervention. Celle couverte par le Centcom s'étend sur 26 millions de kilomètres carrés, du Kenya au Pakistan ; 70 % de toutes les réserves mondiales de pétrole sont situées dans la région dont le Centcom a la responsabilité. Durant la guerre du Golfe, l'homme placé à sa tête était le général Schwarzkopf, et le ministre de la Défense de l'époque, Dick Cheney, s'employa ensuite à renforcer ses moyens d'intervention. Dès 1991, le Centcom était devenu un véritable laboratoire, un centre d'expérimentation où étaient testés tous les scénarios découlant d'attaques irakiennes contre l'Arabie Saoudite, ainsi que les possibilités de ripostes américaines.

Depuis plusieurs mois, une partie des effectifs et du matériel du Centcom ont été transférés sur une base spécialement construite, dans l'émirat du Qatar, à proximité des théâtres d'opérations.

A plusieurs reprises le général Francks et les chefs des trois armées ont exprimé à Bush leurs inquiétudes. L'Air Force se montre réservée sur la capacité de ses pilotes à mener une guerre longue, surtout s'ils ne disposent pas de bases à proximité de l'Irak ; la Marine redoute que trop de navires soient réquisitionnés, laissant les autres océans vides ou dégarnis. Les responsables de la Marine ont également été choqués que Rumsfeld ordonne le retrait des appareils installés sur plusieurs porte-avions pour que ceux-ci servent de bases aux commandos des forces spéciales expédiés en Afghanistan. Quant à l'armée de terre, elle s'inquiète de l'ampleur d'une intervention terrestre puis d'une occupation prolongée de l'Irak.

Toutes ces réticences ont été écartées grâce au rôle décisif joué auprès de Bush par son vice-président, Dick Cheney. Si Wolfowitz, parmi les faucons, peut être considéré comme le théoricien ou le penseur, Cheney lui est le stratège qui garantit à ce groupe d'hommes un accès constant à l'oreille du Président.

Assis à la droite de Bush durant les réunions du cabinet auxquelles il assiste (pour des raisons de sécurité il vit et travaille dans un lieu tenu soigneusement secret), il intervient peu, au cours des échanges, préférant attendre d'être seul en tête à tête avec le chef de l'exécutif. C'est lui qui a arraché la décision de préparer une action militaire contre l'Irak. Il avait adopté exactement la même attitude, douze ans auparavant, durant la crise du Golfe, alors qu'il était ministre de la Défense. L'ancien président George Bush a confié que son secrétaire d'Etat James Baker « était alors hésitant à envisager l'usage de la force et insistait pour que la diplomatie et les sanctions fassent leur œuvre, Cheney, lui, estimait que tôt ou tard il faudrait en venir à une action armée. Cheney, ajoute, Bush avait probablement adopté une position plus en flèche que celle des militaires ».

Le 27 août 2002, il se prononça, devant un congrès d'anciens combattants à Nashville, en faveur d'une action préventive contre l'Irak, déclarant qu'il n'y avait « aucun doute que Saddam Hussein possédait des armes de destruction massive ; il n'y a aucun doute qu'il les amasse en vue de les utiliser contre nos amis, nos alliés et contre nous-mêmes ». « Des armes de destruction massive, ajoutait-il, entre les mains d'un réseau terroriste ou d'un dictateur meurtrier, ou les deux collaborant ensemble, constituent la plus grave menace qui puisse être imaginée. » Il reprit également la formule de Bush : « Le temps n'est pas de notre côté », et ajouta : « Les risques d'inaction sont beaucoup plus grands que les risques d'action. »

En conclusion de son discours, Cheney affirmait que l'objectif des Etats-Unis était l'existence d'un Irak « disposant d'une intégrité territoriale, d'un gouvernement démocratique et pluraliste, et "formant" une nation où les droits humains de chaque ethnie et groupe religieux seraient reconnus et respectés ».

Un ensemble de principes extrêmement louables qui se heurtent à une difficile application sur le terrain.

A l'académie militaire de West Point, en juin 2002, le président Bush avait affirmé clairement le droit des Etats-Unis à attaquer préventivement tout pays qui serait considéré comme une menace. Le président américain avait souligné à cette occasion que les deux doctrines militaires qui ont dominé la politique étrangère américaine depuis la fin de la Seconde Guerre mondiale, à savoir l'endiguement de l'Union soviétique et la dissuasion nucléaire, désormais n'étaient plus ni viables ni applicables dans une ère dominée par des groupes terroristes ou des dictateurs tel Saddam Hussein, « possédant des armes de destruction massive et pouvant lancer une attaque sans le moindre avertissement ».

Ces propos reflètent la doctrine des faucons. Le 9 août, Richard Perle écrit dans le *Daily Telegraph* : « La décision d'utiliser la force est un choix beaucoup plus difficile quand les sociétés démocratiques doivent agir de manière préventive. C'est pourquoi les puissances continentales ont attendu que Hitler envahisse la Pologne, en 1939, et l'Amérique a attendu le 11 Septembre pour s'attaquer à Ousama Bin Laden. Pourtant les ambitions ouvertement affichées de Hitler et son renforcement militaire, tout comme le programme dément de Bin Laden, étaient constamment connus, examinés bien avant leurs actes d'agression rendant une réplique inévitable. Les deux auraient pu être stoppés par une action préventive, menée au bon moment. »

« Une source de bienfaits pour le monde »

L'année 2002 marquait en réalité le dernier acte d'un affrontement commencé près de trente ans plus tôt avec l'humiliation vietnamienne, une guerre honteuse perdue dans des conditions dramatiques, selon Colin Powell qui en avait été l'acteur et le symbole. Les faucons, eux, formulaient une autre analyse : la guerre avait été perdue par absence de volonté politique, et ils citaient l'exemple opposé de Reagan dont le choix d'investir des dizaines de milliards de dollars dans les projets militaires avait provoqué l'effondrement de l'URSS. Même chose pour la première guerre du Golfe. Aux yeux de Cheney et Wolfowitz, la campagne militaire avait été stoppée trop tôt. Dès cette époque, Wolfowitz, alors l'adjoint de Cheney au Pentagone, plaida pour que Washington intervienne militairement afin d'empêcher les forces de Saddam Hussein d'écraser la rébellion interne, les Kurdes au nord et les chiites au sud. Powell s'opposa à un tel scénario et Bush lui donna gain de cause, laissant les hélicoptères et les forces spéciales irakiennes massacrer ces milliers d'opposants. Une décision infiniment dommageable, aux yeux de Wolfowitz et de ses amis, qui avait permis à Saddam Hussein de rester au pouvoir. Mais onze ans plus tard le « danger irakien » devenait pour ces hommes un argument rêvé qui permettrait d'infléchir la doctrine américaine en matière de sécurité et de relations internationales.

Richard Perle pouvait affirmer : « Je crois que le pouvoir américain est toujours une source de bienfaits pour le monde, et je crois que l'unique superpuissance a l'obligation spéciale d'éliminer toutes les menaces pesant sur la sécurité globale. » Il complétait l'analyse de Wolfowitz pour qui il « existait désormais dans l'opinion américaine un consensus fort en faveur d'un leadership américain ».

Ces propos s'inscrivaient dans le débat entre multilatéralisme et unilatéralisme qui reflétait au fond deux visions opposées de l'état du monde et de la nature humaine. Les multilatéralistes, à l'image de Powell, croyaient aux traités et organisations internationales ; les unilatéralistes méprisaient les organisations internationales et considéraient le contexte actuel comme idéal pour réaffirmer, à travers l'usage de la force, l'incontournable suprématie américaine ainsi restaurée. Comme l'exprimait crûment Perle : « Si nous écrasons Saddam comme une fourmi, ils verront que nous sommes réellement forts et déterminés. »

En réaction à ces propos, Maher, le ministre égyptien des Affaires étrangères, déclarait en privé : « Cette administration a en son sein beaucoup trop d'idéologues et des gens bardés de doctrines et de certitudes. Ils viennent avec une idéologie dominée par une logique de confrontation, qui est à 100 % sûre de son bon droit. Ce pays est si sûr de son pouvoir et tourné vers lui-même que ça ne lui permet même pas de distinguer ses propres intérêts. La stabilité dans le monde. »

A Washington, les « prophètes » annonçaient à la fois des tempêtes et la grandeur de l'Amérique restaurée se préparant, selon les propres mots de Bush, à affronter le « pire des régimes, en possession des pires armes ».

Quand, après son élection, en 2000, le nouveau président américain proposa à Rumsfeld le poste de ministre de la Défense – qu'il avait occupé vingt-cinq ans plus tôt –, l'homme aux lunettes de métal encadrant un visage sévère l'avertit : « L'Amérique est "allergique au risque" aux yeux du monde. Or nous serons confrontés à un conflit qui exigera de grandes prises de décision. Je crois que notre pays doit regarder et aller de l'avant, et non pas se replier sur lui-même, sinon nous encouragerons les autres à agir comme nous. » Selon Rumsfeld, Bush lui répondit : « Vous avez tout à fait raison. Je suis d'accord avec vous. »

De grands projets pour la CIA

Au début de l'année 2002, le président américain approuva et signa une directive secrète autorisant la CIA à utiliser tous les moyens pour renverser Saddam Hussein, y compris l'usage de la force pour le capturer, ou même le tuer si les agents opérant en Irak étaient menacés.

Toutes ces opérations étaient supervisées par le vice-président, Dick Cheney, depuis son bureau situé dans l'aile ouest de la Maison Blanche, avec la collaboration du général Wayne A. Downing, le conseiller adjoint pour la sécurité nationale chargé de la lutte contre le terrorisme. Downing, un ancien des forces spéciales et de la CIA, assurait la coordination avec le directeur de l'Agence, George Tenet.

« Bush et Cheney avaient de grands projets pour la CIA, confia un membre de la Maison Blanche, mais l'agence de renseignements et son directeur se montraient extrêmement embarrassés de l'honneur qui leur était ainsi fait ».

Tenet était un homme prudent, à la tête d'une organisation en crise qui n'était plus, depuis de nombreuses années, la plus importante agence d'espionnage américaine. Tenet avait survécu aux années Clinton et aux attentats du 11 Septembre qui révélèrent au grand jour les lacunes des services de renseignements américains. Ce jour-là, ce n'étaient pas seulement les tours du World Trade Center et une partie du Pentagone qui avaient été détruits, mais aussi l'illusion que la superpuissance américaine possédait un service de renseignements efficace. Malgré les dizaines de milliards de dollars de budget annuel qui leur étaient alloués, la CIA, le FBI, la DIA (les renseignements militaires) et la NSA, capable de mettre sur écoute le monde entier, n'avaient pas été en mesure de neutraliser Ousama Bin Laden, ni de démanteler ses réseaux terroristes.

Le bilan concernant l'Irak était aussi peu brillant. Depuis 1990, la CIA avait considérablement réduit ses opérations, et James Woolsey, un ami de Wolfowitz, directeur de l'Agence pendant deux années, sous Bill Clinton, avouait, désabusé, que durant cette période il n'avait pu rencontrer le Président qu'à deux reprises. Tenue en piètre estime, la CIA avait également considérablement révisé à la baisse ses opérations clandestines et la collecte de renseignements sur le terrain. Ses antennes dans le monde arabe manquaient cruellement d'yeux et d'oreilles capables d'obtenir et d'analyser des informations sensibles. A Beyrouth, autrefois un poste clé pour la centrale, il ne subsistait plus qu'un seul agent parlant arabe, et encore, employé à mi-temps ; en Arabie Saoudite, pays essentiel, un retraité parlant l'arabe venait juste d'être réembauché et nommé.

Ben Laden avait pu frapper puis s'échapper des grottes de Tora Bora ; Saddam Hussein, à l'intérieur de l'Irak, était toujours aussi peu localisable, changeant constamment de résidence, de préférence la nuit, et ne se dépla-

çant qu'entouré d'un cercle restreint de fidèles. Le bilan
de la CIA était consternant.

Pourtant, George W. Bush pensait qu'on pouvait,
comme en Afghanistan, gagner à la cause américaine des
officiels qui seraient prêts à renverser Saddam ou à le
liquider, et il avait donné l'ordre que des budgets supplémentaires de plusieurs dizaines de millions de dollars
soient alloués à l'Agence. Mais Bagdad ne ressemblait
guère au régime des Talibans, et George Tenet confia au
président américain, au cours d'une réunion du cabinet à
la Maison Blanche, qu'il n'y avait pas plus de 10 à 20 %
de chances que la CIA, à elle seule, puisse recruter un
officier supérieur capable de loger une balle dans la tête
du dictateur irakien ou de déclencher un coup d'Etat.

Cette conviction profondément ancrée que l'on « pouvait trouver un homme providentiel capable de faire le
travail et d'éviter les risques d'une intervention militaire », selon la formule d'un ancien responsable de la
CIA, faisait l'objet de violentes critiques émanant depuis
plusieurs années du camp des faucons.

Un avenir nouveau avec des hommes anciens

Le 14 octobre 1998, soixante-quinze jours après le
départ d'Irak des inspecteurs de l'ONU, Richard Perle
réclamait la « démission du chef de la division Moyen-
Orient de la CIA pour incompétence et manque de quali-
fication fondamentale pour exercer cette fonction ». Il
énumérait les nombreux échecs de la CIA à propos de
l'Irak et concluait : « Parmi leurs idées erronées, la plus
importante est la conviction que le seul moyen d'éliminer
Saddam est d'organiser un coup d'Etat contre lui. Mais
il est bien meilleur pour résister à de telles tentatives que
nous pour les perpétrer. »

Après Saddam Hussein, qui ? Trouver un « Karzai » irakien ne présentait que l'embarras du choix. On pouvait, paraphrasant la boutade de De Gaulle, affirmer : « Après Saddam ce sera le trop-plein. » A Washington, on promettait aux Irakiens un avenir nouveau en s'appuyant sur des hommes anciens.

L'administration Bush, faute de mieux, avait en effet réactivé une opposition irakienne en exil, dépourvue de toute assise et de la moindre crédibilité à l'intérieur de son propre pays. Fédérée à l'intérieur du Congrès National Irakien (INC), basé à Londres, elle réunissait des tendances aussi disparates qu'un cousin de l'ancien roi d'Irak, des chiites, des Kurdes, d'ex-militants du parti Baas au pouvoir à Bagdad, des officiers supérieurs qui avaient fait défection et même des partisans de l'ayatollah Khomeiny. Tous conseillés, encadrés, par la CIA et d'anciens du Pentagone. Pour le général Anthony Zinni, ancien responsable des Marines et du Centcom, chargé par George W. Bush de nombreuses missions délicates, « c'était un groupe de types en costume de soie avec des Rolex au poignet, dressant des plans de guerre irréalistes ». Un jugement sévère, en grande partie fondé.

L'INC n'était qu'une « ombrelle, » pour les plus aimables de ses détracteurs, réunissant des hommes ou des groupes qui n'avaient en commun que leur haine à l'encontre de Saddam et l'animosité qu'ils éprouvaient les uns envers les autres.

L'INC réunissait et représentait essentiellement les Kurdes, 20 à 25 % de la population, vivant au nord, et les chiites, plus 55 % installés dans le Sud et jusqu'aux villes autour de Bagdad. Mais le dictateur irakien s'appuyait, lui, sur la minorité sunnite, jouant sur sa peur d'un changement de régime qui pourrait susciter représailles et prise du pouvoir par les deux groupes ethniques.

En fait, dans cette région aux frontières imprécises,

l'Irak était un Etat aussi artificiel que le Koweit. A la suite des accords Sykes-Picot de 1916 qui détaillaient le partage des dépouilles de l'Empire ottoman entre la France et l'Angleterre, l'Irak avait été constitué à partir de trois anciennes provinces turques : Bagdad, Bassora et Mossoul.

Une formule résumait magistralement cet état de fait : « L'Irak est une folie de Churchill qui avait voulu réunir deux puits de pétrole que tout séparait, Kirkuk et Mossoul, en unissant trois peuples que tout séparait, les Kurdes, les sunnites et les chiites. »

Probablement parce que né d'une construction instable et précaire, l'Irak moderne n'a cessé d'être traversé et dominé par la violence. En 1958, la monarchie pro-occidentale est renversée, le roi Fayçal abattu, son Premier ministre, Noury Saïd, lapidé par la foule ; le nouveau chef de l'Etat, le général Kassem, échappe un an plus tard à un attentat. L'un des membres du commando était un jeune homme de vingt-deux ans du nom de Saddam Hussein, qui réussira à gagner la Syrie voisine.

L'INC et Washington entretenaient des relations empreintes de défiance mutuelle.

En 1991, après la victoire de l'opération militaire Tempête du désert, George Bush et son équipe avaient appelé les Irakiens à se soulever contre Saddam Hussein pour le renverser. Les chiites et les Kurdes s'étaient en effet rebellés, mais l'administration américaine ne leur avait apporté aucun appui militaire, et les soulèvements avaient été écrasés dans le sang. En 1996, Bill Clinton avait approuvé puis annulé un plan de la CIA prévoyant une invasion de l'Irak à partir du Kurdistan. Saddam en avait profité pour envoyer ses troupes dans la zone kurde où elles massacrèrent et torturèrent, exploitant également l'affrontement meurtrier entre les deux principaux mouvements de résistance kurde.

Au terme de ces opérations, Saddam avait démantelé toute la logistique de l'INC auquel, selon un expert, il ne restait plus qu'un seul théâtre d'opérations : Washington.

Le fondateur et président de l'INC, Ahmed Chalabi, un ancien banquier, diplômé en mathématiques du MIT (Massachusetts Institute of Technology), disposait alors d'appuis importants au sein de l'administration et au Congrès.

En 1998, ce dernier avait voté une décision allouant 97 millions de dollars d'aide à l'INC pour la libération de l'Irak. Mais le mouvement, divisé, traversé par de profondes querelles de personnes, s'était révélé incapable d'utiliser ces ressources. Pendant des années, Ahmed Chalabi et son mouvement avaient été soutenus, financés par la CIA et le Département d'Etat, mais le temps avait érodé cette coopération. Les informations émanant de l'INC sur la situation en Irak n'étaient pas fiables, et le style autocratique de Chalabi, son refus de partager le pouvoir, suscitaient des critiques croissantes au sein même de son organisation. La gestion des fonds alloués par Washington se révélait également opaque. En janvier 2002, le Département d'Etat suspendit ses versements, l'INC ne pouvant justifier de l'utilisation de 578 800 dollars en liquide.

« L'INC a été sauvé par la conjoncture, estime un observateur. Le Département d'Etat et la CIA étaient prêts à jeter l'éponge, et sa marginalisation était déjà effective. Puis est arrivée l'équipe Bush avec ses souvenirs de la période Reagan. »

Là encore, la capacité de Paul Wolfowitz à livrer clés en main des solutions au Président avait fait merveille. A plusieurs reprises il revint de façon détaillée sur l'aide importante que les Etats-Unis avaient apportée aux Contras, les rebelles qui luttaient au Nicaragua contre le régime sandiniste procubain et prosoviétique : preuve que l'appui à une opposition interne avait permis d'éliminer un régime hostile.

La démonstration péchait uniquement sur deux points : les Contras se battaient alors que l'INC et Chalabi n'avaient aucune force à opposer sur le terrain à Saddam ; de plus, l'éviction des sandinistes, affaiblis par la guerre, s'était faite par la voie des urnes, une solution impensable en Irak.

Mais peu importe, des hommes qui pour certains n'étaient pas retournés en Irak depuis près de trente ans furent remis en selle. Il fut décidé que le Pentagone se substituerait au Département d'Etat pour encadrer, allouer des fonds à une opposition revigorée par la perspective d'une victoire prochaine.

Ce qui ne change rien à cette réalité exprimée crûment par un ancien responsable de l'INC : « Le Congrès national irakien n'est pas une force d'opposition mais seulement un groupe d'hommes employés par les Américains. »

« Un dossier compliqué »

En août 2002, les leaders de l'opposition – l'INC n'étant qu'une de ses composantes – se retrouvent à Washington pour une réunion au Département d'Etat où ils sont sommés de faire taire leurs querelles et de restaurer leur unité en vue du renversement de Saddam Hussein. Signe clair que l'initiative de cette réunion émane des plus hautes sphères, le vice-président Cheney s'entretint par vidéo-conférence avec les représentants irakiens. Tout l'appareil diplomatique, militaire, ainsi que les services secrets, notamment la DIA (les renseignements militaires), sont désormais mobilisés pour encadrer ces mouvements et travailler à leur donner l'apparence d'une alternative démocratique.

Les rencontres dureront plus de deux heures, entre ces délégués et des officiels américains, mais ne permettront pas de lever une interrogation : combien de groupes d'opposition étaient présents dans la capitale fédérale. « Je crois qu'ils sont six, confiait Donald Rumsfeld, mais laissez-moi recompter. Ah, j'en compte sept, mais on me dit que je me trompe. De toute façon peu importe, six ou sept, aucune importance. C'est vrai que l'Irak a l'air d'un dossier compliqué. »

Tous les membres de l'administration Bush paraissent alors convaincus de la défaite inéluctable de Saddam Hussein. Mais personne ne semble avoir envisagé qu'une défaite du dictateur irakien pourrait, à terme, constituer une nouvelle victoire pour Ousama Bin Laden et les réseaux d'Al Quaeda par l'onde de choc qu'elle provoquerait au sein des opinions arabes.

DEUXIÈME PARTIE

7

Quand George Bush a-t-il pris la décision d'attaquer l'Irak ? Ou plutôt, comme il se plaît à le répéter, de « libérer » l'Irak pour y instaurer une démocratie durable et bénéfique à l'ensemble du Moyen-Orient ?

Depuis les primaires de son parti, au début de l'année 2000, le futur président américain mentionnait le régime de Saddam. Par facilité plus que par conviction, dans la mesure où son manque d'intérêt pour la politique étrangère constituait l'un des piliers de sa doctrine. Fustiger le régime irakien était une sorte de passage commode et obligé, permettant de recueillir une approbation unanime sans rentrer dans des considérations complexes et souvent politiquement dangereuses, comme par exemple le conflit israélo-palestinien.

Mais si l'on cherche une date charnière, une déclaration clé qui permette d'identifier avec précision le moment où Bagdad devient la priorité absolue de la Maison Blanche, il faut revenir au discours de l'Union, prononcé le 29 janvier 2002 par le chef de l'exécutif américain.

Les commentateurs politiques américains s'attendaient bien à un tournant radical. Mais pas celui-là. Après la victoire rapide, relativement peu coûteuse en vies – américaines ! –, de la guerre afghane, même si Bin Laden et la plupart de ses lieutenants demeuraient introuvables, on escomptait entendre George Bush prononcer un discours principalement axé sur la politique intérieure. Il était attendu sur des dossiers tels que la privatisation de la Sécurité sociale ou encore le redressement d'une économie que la guerre d'Afghanistan n'avait pas véritablement arrangée...

Au lieu de cela, le discours de l'Union fut un pas en avant vers de nouvelles guerres, vers l'extension du conflit actuel à des puissances militaires biens supérieures – et surtout stratégiquement plus délicates : deux d'entre elles se trouvent au cœur du Moyen-Orient.

Dans son intervention, Bush expliqua sa vision du terrorisme : des réseaux, comme Al Qaeda, qui s'articulaient autour d'un « axe du mal » composé de trois pays dont on a du mal à saisir les points communs : l'Irak, l'Iran et la Corée du Nord. Les réseaux terroristes doivent être détruits. Mais pour y parvenir, il faut également faire table rase des régimes qui les abritent. Ce n'est pas une déclaration de guerre, mais c'est la mise en garde la plus nette qui ait jusqu'alors été adressée à ces pays. Soit ils « changent », soit ils s'exposent au déluge de feu qui a eu raison des Talibans en quelques semaines...

Mais que doivent-ils changer exactement ? Mis à part le fait qu'il s'agit de trois régimes autoritaires, corrompus et reposant sur la terreur, qu'est-ce qui a motivé le choix des Américains ? Pourquoi pas la Somalie ou le Soudan, dont on sait qu'ils abritent de véritables plaques tournantes du terrorisme islamiste ? Pourquoi pas le Yémen, là aussi point névralgique pour les réseaux d'Al Qaeda, dans certaines régions où l'autorité d'Aden, la capitale, est devenue quasi inexistante ? Encore plus gênant, mais peut-être encore plus pertinent : pourquoi ne pas avoir inclus l'Arabie Saoudite dans cette liste : quinze des dix-neuf pirates de l'air qui ont commis les attentats du

11 Septembre sont entrés aux Etats-Unis avec des passe-ports saoudiens. Ce pays dispense une éducation où l'anti-sémitisme le dispute aux théories antioccidentales les plus primaires. Les compagnies aériennes sont dans l'obligation de placer sous scellés les revues qu'elles transportent avant de pénétrer dans l'espace aérien du royaume. La lapidation des femmes est toujours monnaie courante, les décapitations se déroulent en public, le vol est puni par l'amputation de la main gauche. Selon un diplomate occidental en poste à Riyad, la capitale, durant plusieurs années, « l'Arabie Saoudite ferait passer le Moyen Age pour le siècle des lumières »...

Même si Bin Laden y est officiellement abhorré, de par les propos séditieux qu'il tient sur la famille royale, de nombreux prêcheurs sont proches d'Al Qaeda, à tra-vers une multitude de réseaux ouvertement implantés dans certains Etats voisins. Pourtant, Riyad est loin de cet axe du mal évoqué par George Bush. Tout comme les Emirats arabes unis, dont on sait pourtant que certains de ses ressortissants ont apporté des soutiens financiers colossaux à l'organisation terroriste...

Donc, George Bush nous présente implicitement ces trois pays comme entretenant les liens les plus intenses avec Al Qaeda. Ceux qui, plus encore que l'Arabie Saou-dite, le Soudan ou le Yémen, méritent notre légitime colère.

La Corée du Nord n'a aucun lien connu avec Bin Laden. Aucune communion idéologique entre le marxisme pourrissant de Kim Il Sung et l'extrémisme délirant de Bin Laden. Ces deux-là ne se sont jamais vus.

L'Iran, contrairement aux apparences, ne possède guère plus de points communs avec le milliardaire saoudien. Pas même l'islam : le leader d'Al Qaeda est sunnite, alors que l'Iran est à dominante chiite, tout comme le clergé qui dirige ce pays depuis le départ du shah.

L'Irak reste la grande inconnue de cette équation. Même si les faucons ont créé un groupe spécial, dont la seule et unique tâche consiste à éplucher les documents confidentiels de la CIA, de la DIA, de la NSA et des multiples agences de renseignements américaines pour trouver un lien entre Saddam et Bin Laden, aucune des pistes ne semble particulièrement solide...

Mais la Maison Blanche, consciente de cette minceur anorexique dans l'argumentation initiale, s'empresse d'ajouter ce qui deviendra le credo des mois à venir, et que chaque responsable martèlera comme un véritable spot publicitaire à chaque question sur l'Irak : « Ces pays produisent des armes de destruction massive. Voulons-nous attendre qu'ils les vendent à des organisations comme Al Qaeda pour agir ? »

Alors le problème n'est plus vraiment, comme le déclarait George Bush, « les organisations terroristes et les nations qui les abritent », mais plutôt les nations qui produisent des armes de destruction massive et des matériaux fissiles pouvant être vendus à des terroristes et disséminés en Occident.

Dans ce cas, en effet, Bush semble avoir frappé aux bonnes portes lorsqu'il mentionne l'« axe du mal ». Néanmoins, on est en droit de s'interroger sur l'ordre de ses priorités : l'Amérique semble se focaliser sur le seul pays qui ne dispose d'aucun programme nucléaire en ordre de marche.

Le réacteur d'Osirak, fabriqué dans les années 70 en « coopération » avec les Français, qui savaient parfaitement que le réacteur était destiné à un programme militaire (comment croire qu'un pays qui regorge de pétrole veuille passer à l'énergie nucléaire, malgré les coûts astronomiques du projet ?), fut bombardé en 1981 par l'armée de l'air israélienne, juste avant qu'il ne produise l'uranium enrichi nécessaire à sa première bombe...

L'Iran, lui, dispose de réacteurs « civils ». Mais là aussi, selon Khidir Hamza, ancien directeur du programme nucléaire irakien, installé aux Etats-Unis depuis 1994, il s'agit d'un subterfuge destiné à obtenir suffisamment de matériaux fissiles pour un usage militaire. Néanmoins, rien n'indique aujourd'hui que l'Iran soit en possession d'une arme achevée, prête à être utilisée.

La Corée du Nord, elle, a publiquement reconnu qu'elle disposait de matériaux fissiles, c'est-à-dire d'uranium suffisamment enrichi pour être placé sur un missile et envoyé sur Séoul, voire même le Japon...

Dès lors, on comprend mal l'inflexibilité américaine à l'égard de l'Irak et d'un programme dont, en privé, la plupart des analystes s'accordent à reconnaître le caractère embryonnaire, alors que George Bush explique simultanément qu'il agira « différemment avec la Corée du Nord ». Son régime est aussi abject que celui de Bagdad. Le peuple y vit dans la même servitude et son attitude à l'égard de la Corée du Sud et du Japon n'est pas plus responsable que celle de Bagdad à l'égard du Koweit ou de l'Iran.

Pourquoi, dès lors, ces deux discours si différents et si troublants : conciliants avec le régime qui présente un danger avéré, intraitable avec le leader de Bagdad qui ne dispose d'aucune arme atomique, un état de fait reconnu par Donald Rumsfeld lui-même... ?

Parce que, au-delà du discours et du concept réchauffé, mélangeant l'« Axe » fasciste de la Deuxième Guerre mondiale et « l'Empire du mal » de son prédécesseur Ronald Reagan, désignant l'Union soviétique, George Bush a pris d'autres décisions.

La conquête du monde arabe par la démocratie

Le président américain, qui ne connaissait pas le nom du Premier ministre pakistanais avant que celui-ci ne devienne la pièce maîtresse de son échiquier diplomatique durant la guerre d'Afghanistan (il aurait déclaré : « Je pense qu'il s'appelle "général"... »), qui demandait au président brésilien s'il « y avait beaucoup de Noirs dans son pays », ce même président va se lancer dans une aventure des plus audacieuses. Un plan si ambitieux qu'il doit absolument être maintenu secret durant les premières phases de sa mise en place. Ce plan, c'est la conquête du monde arabe par une idée : la démocratie. Et il n'a rien de formidablement généreux, dans la mesure où ce qu'il coûte à l'Amérique sera ridicule en comparaison des bienfaits qu'il lui apporterait ensuite : en termes de nouveaux marchés, d'influences diplomatiques et, par-dessus tout, de sécurité retrouvée. En éliminant le terreau de misère et d'oppression qui règne dans la plupart de ces pays, l'Amérique coupe l'herbe sous le pied de ses adversaires. Conquérir le monde arabe avec la démocratie équivaut, dans l'esprit de George Bush et de certains de ses conseillers, à inoculer un virus au cœur d'un organisme vierge, puis à en observer le développement.

Il lui faut une cible initiale, un point de départ vers lequel diriger ce nouveau concept. Il est décidé que ce sera l'Irak. Dans l'esprit de George Bush, décrit par ses collaborateurs et ses proches comme un homme aux analyses tranchées, mal à l'aise dans les subtilités et les nuances, Saddam Hussein constitue la cible parfaite : un régime brutal dont les Irakiens souhaitent forcément se débarrasser. Un pays d'importance, implanté au cœur du monde arabe. Une nation qui, devenant un modèle démocratique, pourra créer une sorte d'effet domino et inspirer d'autres changements parmi les régimes sclérosés de la région. Un pays modéré qui jouera alors un rôle de premier plan dans la résolution du conflit israélo-palestinien, en devenant un interlocuteur responsable pour toute proposition de paix. Enfin, une manne pétrolière qui, un jour prochain, pourra peut-être remplacer celle de l'Arabie Saoudite et de son double jeu permanent, de moins en moins bien toléré par Washington...

Cette définition de l'« axe du mal », ce discours historique qui, loin de marquer la fin de la guerre, lui ouvre de nouveaux horizons, coïncident avec le point de départ de la deuxième phase du conflit. Celle qui consiste à instiller dans leurs propres nations ce que les terroristes comme Bin Laden haïssent le plus : la démocratie. Rien de tout cela ne fut expliqué ouvertement au peuple américain, et encore moins au reste du monde. Parce que l'ampleur du projet ne permet aucune fanfaronnade qui ridiculiserait la Maison Blanche en cas d'échec. Mais aussi parce qu'une telle idée n'assure pas à Washington un grand nombre d'alliés dans le monde musulman...

Le discours de l'Union a permis à George Bush d'établir aux yeux de l'opinion un lien – discutable – entre l'Irak et la guerre contre le terrorisme. Sans rien dévoiler de ses véritables intentions, il est parvenu à créer une prétendue menace immédiate en provenance de Bagdad, avec un succès mélangé. Il a fait passer l'invasion d'un pays que rien ne liait aux attentats du 11 Septembre pour la continuation logique du conflit afghan. Dans un sens, c'est la vérité : tous deux participent de la même volonté de voir les terroristes et leurs réseaux privés de ressources, qu'elles soient logistiques, financières ou humaines. Mais les raisons invoquées, elles, sont beaucoup plus discutables...

Quoi qu'il en soit, ce 29 janvier marqua une nouvelle

victoire pour les faucons. L'augmentation du budget de la Défense, proposée la même semaine par Donald Rumsfeld, fournissait un autre indice quant à la toute-puissance du « parti de la guerre » autour du Président. 48 milliards de dollars d'augmentation. Soit plus de 150 % du budget militaire français, pourtant le second de la planète après celui des Etats-Unis.

Cette décision, et surtout le gigantisme des sommes impliquées, mérite que l'on s'y attarde quelques instants. George Bush a cité, à de nombreuses reprises, les impératifs de défense et de sécurité nationale qui doivent être placés avant toute autre considération. Son premier travail, explique-t-il, est de protéger l'Amérique et les Américains de leurs ennemis. 48 milliards de dollars supplémentaires peuvent y contribuer fortement, suppose-t-on...

Pas du tout. L'histoire de Rumsfeld au Pentagone est celle d'une promesse brisée, avant et après le 11 Septembre. Dès son accession au poste de secrétaire à la Défense, il s'était fixé pour mission de rénover la structure archaïque de son ministère, et surtout de réorienter les dizaines de milliards de dollars qui s'engouffraient, chaque année dans des projets qui n'avaient aucune utilité ou qui s'avéreraient si coûteux que les forces armées ne les emploieraient, de toute façon, jamais.

Les 12 milliards de dollars qui devaient servir à la création simultanée de trois nouveaux types d'avions de combat, ainsi que des systèmes d'artillerie lourde et des destroyers géants, étaient tous pensés dans l'optique d'un affrontement Est-Ouest, face à un ennemi qui n'existait plus depuis longtemps. Leur utilité dans la lutte antiterroriste était, de l'avis de nombreux experts militaires, plus que discutable...

A l'annonce de cette augmentation du budget, le chef

d'état-major interarmes, le général Richard Myers, demanda immédiatement à son tour une rallonge de 30 à 40 milliards de dollars afin de permettre à l'armée d'acheter les systèmes que les 48 milliards supplémentaires allaient mettre en circulation.

Rumsfeld, sans conteste l'un des plus farouches vat-en guerre de cette administration, s'est pourtant avéré incapable de mettre sa rhétorique en pratique, alors qu'il disposait de toute latitude pour y parvenir. Après le 11 Septembre, avec l'émergence d'une menace terroriste ponctuelle, où les meilleures armes sont, par exemple, des drones sans pilotes qui volent à 80 kilomètres à l'heure et qui ne sont armés que de deux missiles, pour un prix de revient total inférieur à 4 millions, il a continué à construire des bateaux de guerre et des systèmes d'artillerie de 42 tonnes, pensés pour un conflit global qui ne surviendra pas, du moins dans un futur proche...

Par contre, les éléments indispensables à la victoire dans la possible guerre qui se profile contre l'Irak font, eux, cruellement défaut. Les JDAMs, ou Joint Direct Attack Munitions, un petit gouvernail informatique que l'on attache sur la queue d'une bombe « aveugle » pour la transformer en obus « intelligent », par exemple, sont quasiment en rupture de stock. Les responsables de Boeing, qui les fabriquent, estiment d'ailleurs que le niveau des réserves ne redeviendra suffisant pour un nouveau conflit (après l'Afghanistan) qu'aux alentours de la fin de l'année 2002. Qui plus est, le coût de ces JDAMs est dérisoire : 27 000 dollars pièce, à greffer sur une bombe qui n'en coûte guère plus. A titre comparatif, le prix d'un seul missile de croisière est d'environ 1 million de dollars, en fonction du modèle.

Il est évident que les 48 milliards de dollars destinés à sauvegarder l'Amérique contre des conflits d'un autre âge pourraient être utilisés plus judicieusement, dans des secteurs où l'urgence paraît plus grande. Entre le développement bon marché d'un programme utile et le développement ultra-coûteux de plusieurs autres qui ne serviront à rien (et qui ne seront même probablement jamais achetés), Rumsfeld a choisi. L'Amérique prône une guerre non conventionnelle sans donner à son armée les moyens supplémentaires pour la mener...

Mais avec un budget de 396 milliards de dollars, face à un « axe du mal » qui, au total, dépense moins de 12 milliards par an pour ses armées, nul doute que Washington dispose d'une marge suffisante pour ignorer les dépenses aberrantes et injustifiées du Pentagone...

Le « caniche » et le Président

Car s'il est parfois incohérent, le budget de la Défense américain n'en est pas moins impressionnant. Surtout en Europe, où l'attitude cavalière de Bush et de ses lieutenants à l'égard de l'Irak inquiète les responsables politiques depuis un certain temps. Ils étaient prêts à soutenir la guerre en Afghanistan, mais les discours de plus en plus féroces à l'encontre de Bagdad sont accueillis avec un enthousiasme beaucoup plus mélangé.

Karl Lamers, le responsable de la politique étrangère du parti chrétien-démocrate allemand, résume bien le point de vue qui prévaut sur le Vieux Continent : « Il y a un risque de voir les Américains et les Européens diverger dans leur lutte contre le terrorisme. Je demande à nos amis américains de nous faire prendre part à l'élaboration de la stratégie, plutôt que de la mettre seul en place et de nous rappeler ensuite, pour trotter à leurs côtés... » Une allusion au manque de cohérence dans la jonction opérée par la Maison Blanche entre l'Irak et Al Qaeda, l'objectif initial...

Même en Angleterre, traditionnel allié des Etats-Unis, certains responsables semblent prendre leurs distances par rapport aux propos qui fusent de Washington, comme ceux de Condoleeza Rice déclarant, le 1er février : « Nous ne devons pas attendre que les événements se produisent, en laissant les dangers s'accumuler. Nous utiliserons tout ce qui est à notre disposition pour faire face à cette menace globale. » Menzies Campbell, porte-parole du parti libéral démocrate pour les Affaires étrangères, déclare qu'une « action contre l'Irak demandera des preuves indiscutables ».

Blair, lui, demeure l'inébranlable allié de la cause américaine. Lors d'un voyage qu'il effectuera quelques mois plus tard, à Crawford, dans le ranch du président Bush, le *Mirror*, un des tabloïds les plus lus du royaume, titrera en comparant Blair à un « caniche », suivant son maître américain. En effet, le Premier ministre semble se tenir au côté de George Bush avec une loyauté presque déraisonnable. Au regard de ce que l'Angleterre retire de cette relation privilégiée, on comprend mal l'attachement indéfectible de Londres à la cause américaine. Blair a rendu des services incommensurables à George Bush. Durant le conflit afghan, on avait parfois l'impression de voir Blair se transformer en secrétaire d'Etat américain : alors que Bush demeurait à la Maison Blanche, le Britannique se lançait dans des voyages épuisants, au Moyen-Orient et en Asie du Sud, afin de maintenir la coalition formée par Washington...

Le nombre des soldats britanniques engagés sur le terrain dans le conflit afghan fut durant une certaine période sensiblement égal à celui des forces américaines, et ce malgré la différence évidente de taille et de moyens qui caractérise les deux pays...

L'Irak a marqué un nouveau tournant dans les relations américano-britanniques, et aussi un nouveau seuil de difficultés pour Blair dans la gestion politique du futur conflit. Son parti est opposé à la guerre, et au « changement de régime » à Bagdad tel que le conçoivent les faucons américains. Le discours de l'Union marquera le début d'une période de plus en plus tendue...

La grogne ambiante au sein des députés travaillistes ira en s'amplifiant, pour dégénérer quelques mois plus tard en rébellion ouverte. Paradoxalement, le principal soutien de Blair est assuré par ses ennemis politiques, les conservateurs, qui considèrent la ligne adoptée par le Premier ministre comme la plus cohérente et la plus conforme aux intérêts de la Grande-Bretagne.

Les relations entre Blair et Bush traversent, elles aussi, des tensions. En janvier 2002, le Président ignora les préoccupations de son « ami » au sujet des conditions de détention des supposés terroristes islamistes, dont plusieurs Britanniques, à la base de Guantanamo. Quelques déclarations ou un geste anodin destiné à sauver la face de son allié n'auraient porté aucun préjudice politique à l'administration américaine. Elles auraient par contre fait taire les critiques anglaises qui dénonçaient la coopération « à sens unique » de leur Premier ministre. Les questions de Blair sur le sort des prisonniers britanniques se heurtèrent à un mur d'indifférence et de silence...

Lors du discours de l'Union, qui fit les louanges de la coopération apportée par les pays arabes à la lutte contre le terrorisme, pas un mot ne fut prononcé à l'intention de l'Angleterre et de son Premier ministre. Encore une indélicatesse de Bush, qui semble se désintéresser totalement des gestes et de la solidarité dont le monde extérieur fait preuve à l'égard de l'Amérique. En espérant une reconnaissance qui ne vient pas, Blair va de plus en plus loin dans son engagement aux côtés de Washington, et risque de plus en plus gros au sein de son propre gouvernement...

Une colombe dans un nid de faucons

Pour toutes ces nations européennes, la seule lueur d'espoir qui perce des murailles érigées par l'administration Bush est celle du Département d'Etat. Son chef, le général Colin Powell, offre la façade d'un homme modéré, aussi tourmenté que ses interlocuteurs étrangers par les discours bellicistes des Wolfowitz, Cheney et autres Rumsfeld...

Isolé au milieu d'une administration qui semble vouloir à tout prix une guerre contre l'Irak, Powell est une colombe évoluant dans un nid de faucons. Le fait que son budget soit augmenté d'un montant risible (4 %), alors que celui du Pentagone connaît une progression à deux chiffres, traduit bien le climat qui règne dans l'équipe présidentielle, et la fragilité de la position du secrétaire d'Etat.

A la différence des faucons, Powell est un militaire de carrière. Il a combattu pendant la guerre du Vietnam, où il fut décoré à plusieurs reprises. Sa doctrine militaire, que ses détracteurs tentent de faire passer pour un excès de prudence, est plus complexe et plus nuancée qu'il n'y paraît. Il l'explique dans un ouvrage publié en 1995 : *My Journey to America*.

L'ancien chef d'état-major se considère comme un produit du Vietnam. Un conflit durant lequel, explique-t-il, « j'ai été témoin d'autant de courage et de bravoure que dans n'importe quelle autre guerre. Or, tout est là : on ne brade pas l'héroïsme sans un but clair, sans l'appui de toute la nation, et sans une volonté absolue de parvenir aux objectifs que l'on s'est fixés... Nous avons accepté le fait d'être envoyés au combat pour soutenir une politique en banqueroute. Nos chefs nous avaient envoyés dans une guerre qui reposait sur une logique anticommu-

niste fourre-tout, qui ignorait bien des paramètres du
conflit vietnamien. Ce dernier plongeait ses racines dans
le nationalisme, l'anticolonialisme... Tout cela nous
emmenait bien plus loin que le simple conflit Est-Ouest.
Nos officiers supérieurs savaient que la guerre allait mal.
Mais ils se sont inclinés devant certains penseurs, certains
groupes de pression... L'armée, en tant qu'institution, n'a
pas adopté un langage franc. Ni envers ses supérieurs
politiques, ni envers elle-même. Le haut-commandement
n'est jamais allé voir le secrétaire à la Défense ou le
Président pour lui dire : "Cette guerre est ingagnable en
se battant de cette manière." De nombreux hommes de
ma génération, militaires de carrière, qu'ils soient capi-
taines, majors ou lieutenant-colonels, ont fait le vœu de
réagir différemment le jour ou ils accéderaient à de telles
fonctions. Ils ont fait le vœu de ne pas acquiescer tranquillement lorsqu'on leur demanderait leur aval pour des
opérations lancées à contrecœur, pour des raisons
fumeuses. Des opérations que le peuple américain ne
pourrait ni comprendre ni soutenir. Si nous pouvons tenir
cette promesse devant nous-mêmes, devant nos dirigeants
civils et devant le pays tout entier, alors les sacrifices
endurés au Vietnam n'auront pas été vains ».

A la lumière de ces propos, Powell apparaît moins
comme une colombe que comme un homme particulièrement prudent. Il ne semble pas craindre la guerre, mais
plutôt une guerre mal préparée. Un conflit qui dégénére-
rait en Irak, au cœur de cette véritable poudrière qu'est
le Moyen-Orient, serait porteur de conséquences incalculables pour la puissance américaine, et pour la stabilité
du monde entier...
Powell n'est pas une colombe mais tout le monde, dans
l'équipe présidentielle, semble avoir intérêt à laisser cou-
rir cette rumeur. Les faucons, tout d'abord : que dire d'un

homme qui prône un usage de la force plus réfléchi, comme dernier recours après que toute tentative diplomatique a échoué ? Que c'est une « colombe », un de ces généraux trop prudents qui, durant le conflit bosniaque, s'opposaient à l'envoi de troupes américaines...

Mais les faucons ne sont pas les seuls à profiter de cette voix dissonante au sein de l'administration. Le Président lui-même use de ce double registre pour calmer ses alliés les plus frileux. Powell est le partenaire idéal. Il offre une image de l'Amérique qui s'apparente à ce que les Européens souhaitent y découvrir : l'homme est ouvert au dialogue, et surtout peu enclin à utiliser la puissance militaire colossale de Washington.

Powell est presque taillé « pour l'export », faisant merveille aux Nations unies et à l'étranger, alors que la presse américaine le décrit souvent, à cette époque, comme incapable d'échapper aux manœuvres du bloc adverse dirigé par Wolfowitz.

Les rôles semblent être extrêmement bien distribués dans cette administration. Colin Powell apaise, prône un discours modérateur, et fait même des incursions sur la scène nationale lorsque des rectifications sont à apporter aux déclarations présidentielles. Deux semaines après le fameux discours de l'Union, Colin Powell déclara que l'« axe du mal » évoqué par George Bush n'incluait pas les peuples des trois nations visées. L'Amérique n'avait rien contre les Irakiens, les Iraniens ou les Nord-Coréens. Washington n'en voulait qu'à leurs dirigeants, qui matérialisent à eux seuls ce fameux « axe du mal ». Au sujet de cette terminologie qui avait causé un certain émoi dans les capitales étrangères, Powell s'empressa d'ajouter : « Cela ne veut pas dire qu'on leur déclare la guerre. Cela veut simplement dire qu'on les appelle par ce qu'ils sont... »

Powell tempère, modère, parle et explique, mais ne se démarque jamais vraiment de la ligne présidentielle. Il l'exprime seulement dans d'autres termes, et soulève des arguments qui ne sont qu'en apparente contradiction avec ceux des faucons. Lorsque, par exemple, le Pentagone considère que les opposants irakiens doivent constituer un élément central de toute opération militaire, le Département d'Etat (ainsi que la CIA, d'ailleurs) exprime des réserves à peine voilées sur ces organisations sans véritable assise démocratique, dont les dirigeants semblent mus par des considérations plus financières que patriotiques...

Est-ce dire qu'il s'agit d'une opposition entre les partisans de la guerre et de la paix ? Assurément pas. Powell et Wolfowitz représentent deux lignes d'une même politique, divergeant seulement sur les moyens à employer ainsi que sur le niveau de risque à encourir. Mais ces différences de procédure et de personnalités sont volontairement amplifiées pour être transformées en véritable fossé idéologique. Ce qui est très loin de la vérité.

Cette double ligne de conduite au sein de son administration fournit au Président l'opportunité d'opérer sur deux tableaux bien distincts, de calmer les angoisses de l'étranger tout en poursuivant son objectif : balayer le leader de Bagdad.

« Un véritable pique-nique »

Le discours de l'Union va également marquer un regain d'activité chez les faucons. On exprime cette fois clairement l'objectif à atteindre, et Powell se met au diapason : toujours un peu plus conciliant que les autres, il exprime néanmoins son approbation pour un changement de régime en Irak.

Les craintes liées à une action militaire contre Bagdad sont presque tournées en dérision. Dans le *Washington Post* du 13 février 2002, Ken Adelman, directeur du contrôle des armements sous le président Reagan, déclare purement et simplement : « Je pense que démolir la puissance militaire de [Saddam] Hussein et libérer l'Irak serait un véritable pique-nique ["cakewalk" : une promenade de santé, un jeu d'enfant]. Laissez-moi vous donner quelques raisons simples et responsables : 1) C'était déjà un pique-nique la dernière fois. 2) Ils sont devenus plus faibles [les Irakiens]. 3) Nous sommes devenus plus forts... »

Incidemment, l'auteur de cet article étonnamment optimiste avait également été l'assistant de Donald Rumsfeld de 1975 à 1977...

Ken Adelman entreprend ensuite de contrer les arguments présentés dans un autre article publié deux mois plus tôt par deux membres du très prestigieux Brookings Institute, qui présentent une vision beaucoup plus sombre d'un possible conflit sur le sol irakien. Les deux auteurs, Phillip H. Gordon et Michael O. Hanlon, déclarent notamment : « Les Etats-Unis auraient probablement besoin d'un contingent de forces terrestres compris entre 100 et 200 000 hommes... Les précédents historiques, de Panama à la Somalie en passant par les guerres israélo-arabes... indiquent que les Etats-Unis pourraient perdre des milliers d'hommes durant cette opération ».

Lorsque les deux universitaires déclarent que la garde républicaine irakienne pourrait se battre farouchement dans le cas d'une invasion américaine, l'ancien assistant de Donald Rumsfeld évoque les unités de l'armée irakienne qui avaient tenté de se rendre à une équipe de télévision italienne en plein désert, pendant la première guerre du Golfe.

Mais il serait dangereux de tourner systématiquement

en ridicule ceux qui professent une opération militaire plus complexe que la précédente. En un sens, Adelman a raison de dire que l'Amérique est plus forte et l'Irak plus faible qu'en 1991. Environ 94 % des bombes utilisées durant le premier conflit étaient « aveugles ». Elles étaient larguées d'un avion et tombaient avec une précision catastrophiquement faible. Elles étaient peu efficaces et surtout très meurtrières en termes de victimes civiles...

Dans le cas d'un nouveau conflit en Irak, plus de 80 % des bombes seront « intelligentes ». En outre, les systèmes de guidage ont connu une progression fulgurante durant les dernières années, augmentant encore la précision et l'efficacité de ces armes. Le guidage laser, qui ne pouvait fonctionner que par temps clair, a été remplacé par des guidages satellites qui fonctionnent à travers les nuages. Si Saddam Hussein enflamme des champs de pétrole, comme certains stratèges le prévoient, les cibles de l'US Air Force ou de la Navy seront malgré tout atteintes sans problème...

L'Amérique est plus forte, c'est un fait : l'ensemble des progrès techniques et militaires de ces dernières années pourrait faire l'objet d'un ouvrage entier. L'Irak, de son côté, dispose d'une marine agonisante, d'une armée de l'air presque totalement privée d'exercice depuis une décennie, et d'une armée de terre fortement inégale, en termes d'équipement et de motivation.

Croire pourtant que les forces irakiennes, à cause de cette infériorité, vont se rendre sans combattre, équivaut à ignorer une donnée fondamentale de l'équation : l'Amérique, cette fois, n'offre pas de retraite, pas de porte de sortie.

En 1991, la coalition avait expliqué qu'elle repousserait les forces de Saddam Hussein hors du Koweit. Le combat était perdu d'avance, et nombre de soldats décidèrent de sauver leur peau plutôt que de s'engager dans une boucherie inutile. Ils furent ensuite renvoyés en Irak.

Aujourd'hui, en préconisant un changement de régime, l'Amérique a elle-même défini les règles d'un jeu particulièrement meurtrier. Elle a fourni une motivation, particulièrement aux troupes d'élite comme la garde républicaine, que Saddam était bien en mal de leur apporter. « Renverser le régime »... déclare George Bush. Ces hommes qui terrorisent leurs compatriotes, qui profitent d'un système fondé sur la terreur et l'absence de liberté, savent probablement qu'ils font partie de ce régime. Ils savent qu'une défaite ne signifiera pas, comme ce fut le cas dix ans plus tôt, le retour au sein d'une dictature qui les abrite. Cette fois, la défaite les exposera à la colère de leurs concitoyens, qui ruminent les décennies de brimades et d'excès dont les hommes de l'appareil sécuritaire se sont rendus coupables.

Bien sûr, l'administration américaine parle de réconciliation. Seuls Saddam Hussein et son entourage immédiat seront poursuivis. Mais la propagande du président irakien est déjà à l'œuvre, expliquant à ses troupes que l'envahisseur yankee décimera l'armée s'il parvient à entrer dans Bagdad. Cela est faux, bien entendu, mais les règlements de comptes auront bel et bien lieu, entre Irakiens, si Saddam est renversé. Les hommes de la garde républicaine, des unités spéciales ou encore du Mukharabat (police politique) le savent. A tous les niveaux. Et pour cette raison, la férocité des soldats irakiens ne doit à aucun prix être sous-estimée, dans la mesure où beaucoup ne disposeront d'aucune échappatoire, d'aucune chance de survie en cas de défaite.

Personne ne sait avec quelle facilité les Américains entreront dans Bagdad. Mais personne ne peut non plus parler d'un « pique-nique » pour une opération militaire nécessitant peut-être plusieurs centaines de milliers d'hommes...

8

La montée en puissance de la rhétorique guerrière dans les couloirs de la Maison Blanche et du Pentagone, ainsi que les attaques de plus en plus précises et explicites dont Saddam Hussein fait l'objet, sont encore amplifiées par l'émergence d'un homme quasiment absent de la scène politique depuis le 11 Septembre. Dick Cheney, numéro deux du pouvoir exécutif américain et successeur direct de George Bush, était maintenu à l'écart de la vie publique pour des raisons de sécurité. Les deux hommes ne séjournent jamais au même endroit, et la « position » du vice-président est constamment tenue secrète...

Mais en ce mois de février 2002, alors qu'Al Qaeda laisse graduellement la place à l'Irak dans les premières pages des grands quotidiens, et que la guerre d'Afghanistan est largement considérée comme un succès, Cheney refait son apparition. Moins de trois semaines après le discours de l'Union, il visite une base de marines en Californie, endeuillée par la mort de neuf soldats durant les opérations menées contre les camps de Bin Laden et des Talibans. Aux côtés des familles des victimes et des survivants de deux crashes aérien, entre un hélicoptère CH-53 et un gigantesque avion-ravitailleur KC-130, Cheney prononce quelques mots de réconfort :

« Les familles de ces marines peuvent être fières à jamais. Pour avoir porté l'uniforme de notre pays et servi la patrie en ces heures difficiles, ces jeunes Américains occupent désormais une place d'honneur dans notre mémoire. Par le sacrifice de ceux qui ont péri, et par l'exemple de ceux qui servent aujourd'hui sous notre drapeau, le monde a vu ce que les Etats-Unis ont de meilleur. »

Le vice-président en profita surtout pour se ranger sans réserve derrière les propos de Bush, au sujet de l'« axe du mal » : « Les remarques du Président ont causé un peu de nervosité chez certains... Mais la plupart des Américains sont rassurés d'avoir un commandant en chef qui dit les choses telles qu'elles sont, et telles qu'il les pense... »

Le principal motif de cette apparition était de signaler le retour d'un homme qui constitue l'une des clés d'une future guerre contre l'Irak. Attaquer un pays arabe sans l'adhésion de presque tous les autres serait une folie. George Bush et tous ses collaborateurs en sont conscients. Il ne s'agit pas de raisonner en termes de « coalition », telle que le 41e président (Bush père) l'avait mise en place pour la première guerre du Golfe. Sans parler de l'Europe ou des Nations unies, l'accord et l'appui tacite des voisins de l'Irak sont une condition indispensable pour entamer une offensive militaire. La Maison Blanche ne peut pas se permettre d'agir unilatéralement dans cette région, pour deux raisons.

D'abord, elle aggraverait l'image déjà détestable qui est la sienne au sein du monde arabe : pour la « rue » de Damas, d'Amman, mais aussi du Caire ou de Rabat, l'Amérique est l'ennemi juré des Arabes. La nation qui opprime les Palestiniens à travers le soutien financier et militaire qu'elle accorde à Israël. La nation qui opprime le peuple irakien depuis plus d'une décennie de sanctions qui ont rendu Saddam Hussein plus riche et sa population plus pauvre et plus démunie que jamais. Pour cette raison, attaquer l'Irak sans le consentement de ses voisins serait une folie. Une telle décision, prise de façon unilatérale, forcerait les gouvernements égyptien, jordanien, syrien et saoudien à durcir dramatiquement leurs positions vis-à-vis de Washington, sous peine d'être renversés par la pression populaire...

La seconde raison est encore plus évidente : les porte-avions ne peuvent en aucun cas constituer une base suffisamment importante pour les déploiements massifs nécessaires à une telle opération. Les bases situées dans le Golfe et en Turquie sont des rampes de lancement stratégiques indispensables pour le pilonnage aérien qui sera – en principe – effectué par l'US Air Force (et la Navy) durant les premières phases du conflit. L'Arabie Saoudite (avec la base Prince Sultan, un chef-d'œuvre de haute technologie), le Koweit et le Qatar (avec la base d'Al-Udeid, une porte de secours acceptable en cas de désaccord avec l'Arabie Saoudite) constituent autant de points clés à négocier avec les gouvernements de la région, dont tous ont jusqu'alors exprimé une désapprobation catégorique quant à une invasion américaine contre l'Irak.

Et c'est là que Dick Cheney entre en scène...

Une attaque qui n'enthousiasme personne

Le vice-président est profondément lié à cette région. « Des liens professionnels, bien sûr, mais aussi personnels. » On apprend à la même période que le vice-président partira le mois suivant pour une tournée marathon qui le conduira dans la plupart des capitales du Moyen-Orient. Son planning extrêmement serré, voire épuisant (douze pays en dix jours), indique qu'il ne s'agit pas de simples visites de courtoisie. Officiellement, il s'agit de rassurer, d'expliquer que l'Amérique ne prévoit aucune action précipitée. Tout le talent du négociateur sera requis pour forger un consensus sur une attaque qui, pour l'heure, n'enthousiasme personne. Un responsable de l'administration, cité par le *Washington Post* dans un article du 24 janvier, résume assez bien la difficulté de l'exercice : « Cheney leur dit [aux gouvernements arabes] qu'il veut écouter ce qu'ils ont à dire. Mais cette approche risque toujours de vous revenir en pleine figure : si on leur explique qu'on est là pour écouter ce qu'ils ont à dire, ils nous accusent de ne pas avoir de plans. Si, au contraire, nous arrivons avec un plan, ils se plaignent de ne jamais être consultés... ! »

Retourner l'opinion qui prévaut dans la région sera un exercice difficile. Beaucoup plus qu'il ne l'était en 1990 : aucun pays de la région n'a été attaqué, et l'invasion unilatérale de l'Amérique risque d'embraser le Moyen-Orient comme jamais il ne l'a été. Même un pays comme le Koweït, qui suppliait le père de l'actuel président après que le même Saddam Hussein avait marché sur leur capitale, déclare aujourd'hui, par la voix de son ministre de la Défense, Sheikh Jaber Al Hamad El Sabah : « Nous n'autoriserons aucune opération militaire contre quelque pays que ce soit sans une couverture internationale », probablement un vote des Nations unies...

Or, selon Eliot Cohen, directeur des études stratégiques à la prestigieuse Johns Hopkins School for Advanced International Studies, le Koweït constitue avec la Turquie les deux seuls piliers « essentiels » pour conduire une action militaire contre l'Irak...

Autre problème pour Dick Cheney : convaincre les responsables de la région qu'un renversement de Saddam ne mènera pas à l'anarchie en Irak. Personne ne doute que l'armée américaine soit à même de balayer le dictateur. Par contre, les dirigeants arabes – entre autres – ne voient pas très bien l'alternative proposée par Washington.

L'INC, un groupement d'opposition à Saddam Hussein mis en avant par l'administration Bush, dispose d'une crédibilité minimum auprès du Département d'Etat et de la CIA, et d'un historique entaché par des fraudes financières multiples, des détournements de fonds et une inefficacité chronique.

De plus, l'un des principaux mouvements de cette organisation soutenue par Washington, le Conseil suprême de la révolution islamique en Irak, très proche des Iraniens, a fort mal digéré les déclarations de Bush, plaçant Téhéran dans le fameux « axe du mal » qu'il fallait à tout prix combattre...

La visite de Cheney fut difficile. Personne n'attendait un miracle. Mais tout de même, on avait espéré à Washington que Cheney reviendrait les mains un peu moins vides. Il a qualifié ses entretiens avec le prince Abdullah d'Arabie Saoudite de « discussions les plus chaleureuses auxquelles il m'ait été donné de participer dans ce pays ». Peut-être. Mais les résultats diplomatiques, eux, ne sont pas au rendez-vous...

Le voyage commence pourtant bien. Mais pouvait-il en être autrement ? Cheney s'arrête à Londres pour y être reçu par le « caniche » du Président, le Premier ministre Tony Blair, qui déclare après les entretiens : « Aucune décision n'a été prise sur la manière de gérer cette menace, mais le danger lié à Saddam Hussein et ses armes de destructions massives est indubitable... »

La tension semble être déjà montée d'un cran la semaine précédente, lorsque le vice-Premier ministre irakien a déclaré à des responsables de l'ONU que les inspecteurs ne retourneraient pas à Bagdad. Comme si les divergences n'étaient pas assez évidentes, Cheney a renchéri en expliquant que de toute façon, ces mêmes inspections ne pourraient reprendre que sous une forme plus

contraignante. Dick Cheney doit quitter Londres le lendemain pour Amman, où il rencontre le roi Abdallah de
Jordanie. Prétendument l'un des « plus fidèles alliés » des
Etats-Unis dans la région. Au moment où le vice-président devise avec Tony Blair à Londres, le jeune souverain
se trouve à Damas en compagnie d'un membre du
Conseil de commandement de la révolution irakienne,
Izzat Ibrahim, et déclare : « La Jordanie considère qu'une
attaque contre l'Irak serait désastreuse pour ce pays mais
aussi pour la région tout entière. Une telle décision mena-
cerait la sécurité et la stabilité de tout le Moyen-
Orient »...

Abdallah est une véritable « inconnue », au sens
mathématique du terme, sur l'échiquier du conflit qui se
profile à l'horizon. Son père fut l'un des seuls à soutenir
Saddam Hussein durant la première guerre du Golfe.
Uday, le violeur, tortionnaire et tueur en série qui tient
lieu de fils à Saddam Hussein, entretient des relations très
amicales avec le jeune roi. Ce dernier aurait reçu de la
part d'Uday, lors de son couronnement, trois Porsche
flambant neuves, et tous deux seraient associés dans une
multitude d'affaires très lucratives, ayant notamment trait
au pétrole irakien transféré illégalement en Jordanie...

Cette touche de modération dans l'enthousiasme sus-
cité par le jeune roi au sein de l'équipe présidentielle
américaine s'est vue confirmée par la mise en garde
publique qu'il adresse à Dick Cheney après leur entretien : « Une action militaire américaine en Irak pourrait
compromettre la stabilité de toute la région, et l'Amérique ferait mieux de se concentrer sur le conflit israélo-
palestinien. » La prise de position est on ne peut plus
claire.

Si Cheney tente d'expliquer et de convaincre, Bush
fait simultanément monter la pression. Le lendemain, il

déclare que « toutes les options sont envisagées », y compris l'arme nucléaire, dans le cas d'une confrontation avec les Etats qui menacent d'utiliser des armes de destruction massive. Au cours de cette même conférence de presse, il semble reléguer Bin Laden aux oubliettes et se focaliser sur l'Irak. Le leader d'Al Qaeda ? « Ce type est le parasite absolu. Il a trouvé la faiblesse dont il avait besoin [en Afghanistan], puis il l'a exploitée pour arriver à ses fins... En vérité, il ne me tracasse pas tellement. Il est en cavale, maintenant... »

« Ça n'aide pas, ce que les Israéliens ont fait... »

Pour le Président, Al Qaeda n'est clairement plus la priorité numéro un. En parlant de Saddam Hussein, George Bush ferma les yeux en secouant la tête, visiblement exaspéré : « Je ne laisserai pas une nation comme l'Irak menacer notre avenir en développant des armes de destruction massive. »

Nettement moins subtile fut sa réaction, particulièrement molle, aux questions concernant les incursions israéliennes dans les territoires occupés, alors que Dick Cheney se trouvait en pleines négociations avec les leaders du monde arabe. « Ça n'aide pas, ce que les Israéliens ont fait... »

Cette différence de ton a encore une fois conforté les Arabes dans leur vision d'une Amérique partiale, intransigeante avec ses partenaires arabes, mais prête à pardonner les écarts d'Israël. Lors d'une visite de quatre heures à Bahreïn, un pays qui abrite la 5e flotte de l'US Navy et qui constitue une base stratégique pour la mise en place d'une possible opération contre Bagdad, le prince héritier Salman Bin Hamad Al Khalifa répond au président Bush par personne interposée, après s'être entretenu avec Dick

Cheney, en expliquant que les Arabes n'ont pas le temps de considérer la mise en place d'une stratégie contre l'Irak alors que les images de Palestiniens tués lors d'accrochages avec l'armée israélienne continuent d'inonder les écrans de télévision. Ses propos résument la pensée de tous les dirigeants rencontrés par le vice-président durant sa tournée :

« Les gens qui meurent aujourd'hui dans les rues ne sont pas le résultat d'une action menée par l'Irak. Les gens qui meurent aujourd'hui meurent à cause d'une action israélienne. Et de la même manière, les Israéliens meurent à cause d'actions menées en réponse aux actions précédentes. Alors, pour le monde arabe, la menace se situe plutôt au niveau de ce conflit bien précis... »

En fait, George Bush se trouve tiraillé entre deux aspirations contradictoires. Le 11 Septembre lui a fait prendre conscience de ce qu'Israël connaît depuis longtemps, et qu'aucun président américain avant lui n'avait réellement vécu : le terrorisme sauvage et injustifiable sur un sol dont on a la responsabilité. Comment jeter la pierre à Israël qui pourchasse les hommes du Hamas et des brigades d'Al Aqsa en investissant les territoires palestiniens lorsque l'on vient d'envahir l'Afghanistan ?

Mais par ailleurs, Bush a besoin d'alliés arabes pour sa guerre contre l'Irak. Et soutenir la politique d'Ariel Sharon est probablement le meilleur moyen de s'aliéner les soutiens nécessaires au renversement de Saddam Hussein. Dans le délicat mouvement de balancier requis pour atteindre ces objectifs, George Bush est loin d'exceller...

Après ses entretiens à Bahreïn, Cheney termine cette infructueuse journée au Qatar en compagnie de l'émir, sans plus de succès. Ce pays est considéré comme le plus enclin au compromis sur le dossier irakien. La semaine

précédente, le ministre des Affaires étrangères Hamad
Bin Jasim Al Thani suggérait l'ouverture d'un dialogue
entre les pays du Golfe et l'Irak. Nouvel échec...

Alors qu'il se trouvait encore à Bahreïn, Cheney tenta
de redonner une touche d'optimisme à cette tournée qui
en manquait cruellement. Faute d'enregistrer des progrès
significatifs au sein des pays arabes pour avaliser une
action militaire, le vice-président américain tenta d'édul-
corer l'importance de ce dossier. « Je sens que certaines
personnes veulent croire que la mise en place d'une aventure militaire en Irak est le seul sujet qui m'a amené jusqu'ici. Ce n'est pas vrai. Ce n'est qu'un sujet parmi
d'autres... »

Cinq jours après cette déclaration des éléments « dé-
classés » (rendus publics après avoir été considérés
comme « confidentiels ») de la *Nuclear Posture Review*,
un document du Pentagone vint étayer les déclarations de
George Bush qui déclarait quelques jours plus tôt que
toutes les options – y compris l'arme nucléaire – seraient
envisagées face aux pays disposant d'armes de destruction massive.

Ce document propose un système de « dissuasion
offensive » qui mettrait un terme aux procédures de la
guerre froide. Plus d'un millier d'ogives nucléaires,
prêtes à une riposte massive contre l'Union soviétique en
cas d'attaque non conventionnelle, étaient assignées à des
objectifs stratégiques fixes, en URSS ou en Europe de
l'Est : casernes, usines, silos à missiles, aéroports, etc.
Modifier les paramètres de tir et les coordonnées des
cibles, dans ces conditions, prend parfois plusieurs mois.
L'effort entrepris par Bill Clinton a permis de réduire
considérablement ces délais, pour faire face plus rapidement à l'émergence d'une menace imprévue.

La dissuasion offensive proposée cette année au
Congrès va encore plus loin dans cette voie, afin de répli-

quer plus rapidement encore aux dangers du monde actuel. Elle stipule trois niveaux de danger, avec trois vitesses de riposte distinctes. Le premier niveau de danger, le plus élevé, est baptisé « *immediate contingencies* » par les stratèges du Pentagone. Il requiert des missiles « pré-ciblés », c'est-à-dire pointés en permanence sur les organes stratégiques des pays en question.

Le document mentionne les nations à inclure dans ce niveau de risque maximum. C'est-à-dire celles vers lesquelles les ogives américaines doivent demeurer prêtes à décoller 24 heures sur 24 :

— L'Irak, attaquant Israël ou un autre de ses voisins...

— La Corée du Nord attaquant la Corée du Sud...

— La Chine durant une confrontation militaire ayant trait au statut de Taiwan.

Alors que le ton se durcit face à l'Irak, force est de reconnaître que l'impasse diplomatique est totale. Encore une fois, le terme « diplomatique » ne signifie absolument pas que l'administration recherche une coalition du type de celle qui a prévalu en 1991 : en ce début du mois d'avril 2002, Bush cherche seulement à faire passer la pilule dans le monde arabe ; à renverser Saddam sans risquer de terminer cette guerre avec un milliard de musulmans en colère. « On le fait pour votre bien » : tel serait, de manière simpliste et caricaturale, le message que George Bush aimerait adresser aux foules, pas toujours très bien disposées à son égard, des capitales arabes.

La mission de Dick Cheney est un échec, malgré ses « liens professionnels et personnels » dans cette région. Il a récolté un message unanime : occupez-vous des Palestiniens avant de vouloir nous embarquer sur l'Irak.

Message reçu : le mercredi 3 avril, depuis la *Situation Room* de la Maison Blanche, Bush se jette à l'eau. Lui qui voulait à tout prix se tenir loin du guêpier israélo-palestinien décide de s'impliquer. En prononçant un discours.

Il ordonne une vidéo conférence sur ligne codée et réunit Cheney, Powell, Rice un autre membre du Conseil de sécurité, Stephen Hadley, sa conseillère Karen Hughes et Michael Gerson, le directeur du service chargé de l'écriture des discours présidentiels.

La première version est âprement discutée. Elle doit adopter une posture conciliante à l'égard des Arabes, mais chemin faisant c'est l'inverse qui se produit. Après quelques remarques « fermes », selon un des participants, sur l'attitude d'Israël et l'occupation de la Cisjordanie, le ton monte pour critiquer... Arafat et l'absence totale de contrôle exercée par ce dernier sur les éléments palestiniens les plus radicaux !

Cette première ébauche est loin de remplir les critères de séduction escomptés. Rice, Powell, Hadley et Gerson travaillent toute la journée avant que la conseillère à la Sécurité nationale ne soumette une nouvelle version du discours au président, un peu avant 20 heures. Le Président retouche le texte plusieurs fois dans la soirée, téléphonant à Condoleeza Rice ou à Gerson. Le résultat est un véritable numéro d'équilibriste qui ne restera pas dans les mémoires comme un texte historique d'une importance majeure. Reconnaissant à la fois le droit des Israéliens à l'autodéfense et celui des Palestiniens à l'autodétermination, il laisse toutes les options ouvertes et n'engage aucun des protagonistes, surtout pas les Etats-Unis... Le texte ne vise en fait qu'à calmer les esprits, et à faire office de coupe-circuit devant la rage des Arabes.

Aux Nations unies, la publication d'un rapport américain sur la manière dont Bagdad aurait tenté d'acquérir des armes de destruction massive est reportée. Motif : la colère des nations arabes face aux opérations israéliennes en Cisjordanie.

Ce rapport est, d'ailleurs, fort attendu. Depuis plusieurs mois, et avec une insistance croissante, les Américains parlent d'une menace irakienne sans fournir le moindre document pour étayer leurs affirmations. Même chose pour la Grande-Bretagne, qui doit publier un compte rendu précis du degré d'avancement des différents programmes militaires de Bagdad, qu'il s'agisse des armes chimiques, bactériologiques, ou encore nucléaires. Pour l'instant, Bush, Blair et leurs équipes respectives parlent en priant le monde de les croire sur parole. A se demander si la colère des dirigeants arabes devant l'escalade du conflit israélo-palestinien n'a pas fourni une nouvelle excuse commode à Washington pour reculer la publication de ses informations.

La presse américaine commence elle aussi à s'interroger. Le *Washington Post* écrit le 7 avril : « Le directeur de la CIA George Tenet a déclaré au Comité des forces armées du Sénat, le mois dernier, qu'il suspecte l'Irak de chercher à étendre son arsenal d'armes prohibées, mais on attend toujours qu'il fournisse des preuves concrètes pour étayer ses dires... »

Mais si les Américains ont pu prendre prétexte du conflit israélo-palestinien pour retarder la publication d'un rapport qu'ils savent peut-être insuffisant, les Irakiens gagnent aussi du temps sur le dos de leurs « frères » arabes. Le vendredi 12 avril, Bagdad annule les discussions prévues la semaine suivante, concernant le retour des inspecteurs, sous prétexte que l'Irak ne veut pas « distraire l'opinion de la crise israélo-palestinienne ». Louable intention. Mais lorsque l'on connaît la stratégie irakienne aux Nations unies, qui consiste à accepter les négociations pour les retarder ensuite, un tel geste paraît servir les intérêts de Bagdad plutôt que ceux de Gaza...

La CIA enquête sur Hans Blix

Trois jours plus tard, on apprend que Paul Wolfowitz, le ministre adjoint à la Défense, faucon parmi les faucons, a demandé à la CIA d'enquêter sur l'homme qui dirigera la commission de contrôle des armements en Irak, si la communauté internationale parvient à un accord avec Bagdad. Pourquoi ? Principalement pour deux raisons : Blix était à la tête de la commission internationale pour l'énergie atomique durant la période où Saddam a élaboré la majeure partie de son programme nucléaire. Les risques de collusion inquiètent, en privé, certains membres de l'administration.

De plus, Wolfowitz le sait, Saddam est une brute mais pas un idiot. L'Américain redoute une manœuvre qui conduirait les inspecteurs, après leur retour, à tomber dans le piège de la semi-coopération. Cette attitude a permis au dictateur de conserver la majeure partie de ses armements secrets pendant plus de onze ans, au nez et à la barbe de l'ONU. Comment savoir si Blix se laissera manipuler ou si, au contraire, il se montrera suffisamment inflexible ? Les Américains ont appris qu'il avait demandé à son équipe d'inspecteurs de suivre des cours d'« adaptation culturelle », pour ne pas heurter la sensibilité des sbires de Saddam qui sont chargés de les espionner durant leur séjour. On peut comprendre que Wolfowitz se fasse du souci...

Le rapport de la CIA s'avère relativement neutre, mais le problème des inspections représente un obstacle de tout premier ordre pour les faucons. Si le problème se règle à coups d'inspecteurs onusiens, c'en est fait de la guerre qu'ils appellent de tous leurs vœux. Donc, il faut descendre en flammes le principe même des inspections. Expliquer à quel point leur succès n'entamera en rien la menace présentée par Saddam. Menace qui, faut-il le rappeler, grandit presque à chaque minute...

Le 16 avril, Donald Rumsfeld déclare qu'il ne croit pas qu'une nouvelle série d'inspections permettrait de fournir des garanties solides sur l'absence de programmes chimique, biologique ou nucléaire en Irak.

Colin Powell, lui, semble de nouveau sur le banc de touche. En fait, il mûrit une stratégie dont il ne démordra pas, et qui l'emportera dans les mois à venir. Il ne méprise pas les inspecteurs. Du moins, si c'est le cas, personne n'est au courant. Il ne considère pas l'ONU comme une grosse machine bureaucratique inutile qui devra se plier à la volonté américaine, ou sombrer dans l'histoire des institutions désuètes.

Il insiste pour que le monitoring des programmes militaires irakiens reprenne, au plus vite. Son discours est l'inverse de celui d'un Rumsfeld ou d'un Wolfowitz. Le porte-parole du Département d'Etat Philip Reeker déclare le 15 avril que l'Irak doit accepter un accès « total et inconditionnel » de l'ONU sur les sites suspects. « Les inspecteurs doivent pouvoir opérer n'importe quand et n'importe où, en accord avec les standards fixés par l'ONU... »

Cela signifie-t-il que Powell soit moins enclin au conflit ? Dans l'immédiat probablement. Mais sa stratégie repose sur une analyse différente, qui peut mener à la guerre aussi sûrement que celles de ses adversaires, au Pentagone ou à la vice-présidence. Le secrétaire d'Etat veut user jusqu'à la corde tous les recours diplomatiques. Il veut travailler dans le cadre de l'ONU jusqu'à l'épuisement des ressources de celle-ci, négocier avec les capitales européennes jusqu'à entendre le dernier de leurs arguments. Peut-être parce qu'il espère une solution négociée. Mais peut-être plutôt parce qu'il ne conçoit une guerre aussi massive et aussi dangereuse qu'avec l'appui de la communauté internationale et – surtout – du monde arabe.

La plupart de ses voisins rêvent de voir Saddam partir, ou même mourir. Mais son armée est puissante selon les standards régionaux, et il est plus déterminé qu'aucun des autres chefs d'Etat du Golfe. Personne ne veut être le premier à dire : je soutiens l'Amérique, amie d'Israël notre ennemi juré, pour attaquer l'un de nos pays frères. L'aval de l'ONU libère ces pays de cet exercice périlleux. Comme le déclarera plus tard le ministre des Affaires étrangères saoudien, le prince Al Saud : « Nous ne laisserons pas l'Amérique utiliser le sol de notre royaume en cas de conflit contre l'Irak. Mais bien sûr, si cette opération est accompagnée d'un vote au Conseil de sécurité, tout le monde doit suivre et se plier à cette décision. »

L'ONU donne une « couverture » légale à tous les pays arabes. Cette responsabilité commune les exonère d'une décision individuelle qui apparaîtrait aux yeux de leurs propres opinions comme une traîtrise. Colin Powell l'a peut-être mieux compris que Rumsfeld et les autres. En épuisant toutes les ressources d'une diplomatie qu'il sait vouée à l'échec, il confère une légitimité sans précédent à la cause américaine. Une stratégie que l'on pourrait résumer ainsi : « Nous avons tout fait pour éviter cette guerre. Maintenant nous n'avons plus le choix : il faut y aller. »

Durant la même conférence de presse, en réponse à une question sur Hans Blix, que Wolfowitz a placé dans le collimateur de la CIA, Reeker répondit : « Blix a toute notre confiance. » Avant d'arriver en Irak, Washington connaît déjà une véritable guerre de tranchées entre les hommes de Powell et ceux de Wolfowitz...

9

Ce tiraillement continuel entre deux factions rivales d'une même administration, proclamant souvent l'inverse et son contraire de manière quasi simultanée, ramène – timidement – à la vie la grande absente de cette année 2002 : l'opposition. Si, quelques jours après le discours de l'Union, l'ancien vice-président démocrate Al Gore avait à peine osé prôner une légère différence de vues avec George W. Bush sur la manière de conduire la future guerre contre l'Irak, appuyant la thèse de Colin Powell qui souhaitait obtenir l'aval des Nations unies, la fin du mois d'avril voit fleurir des critiques plus incisives, bien que toujours prudentes, au vu de l'énorme cote de popularité dont jouit le Président. A ce titre, le *Washington Post* écrit, le 21 du même mois :

« Malgré les acclamations presque universelles recueillies par le Président au sujet de sa politique étrangère durant les six mois qui ont suivi les attaques terroristes du 11 Septembre, George Bush est aujourd'hui accusé d'indécision et d'incohérence stratégique, face à une série de crises internationales : ces dernières semaines, les conservateurs pro-israéliens et les Etats arabes pro-palestiniens ont déclaré que la politique de Bush au Moyen-Orient, bien que de plus en plus active, manquait de conviction, de clarté et de stabilité.

« Corroborant ce qui apparaît, aux yeux de nombreux

responsables, comme des divisions internes profondes au sein de l'administration, un groupe a sous-entendu de manière répétée qu'une attaque contre l'Irak était en cours de préparation, alors qu'un autre [groupe] assurait les alliés, de plus en plus nerveux, qu'aucun plan n'avait été mis en place. En même temps, les raisons invoquées par l'administration pour justifier le renversement de Saddam Hussein ont changé de manière répétée...

« ... Bien qu'un certain nombre de membres du Congrès des deux côtés du champ politique n'aient pas hésité à faire part de leur déplaisir quant à la manière dont l'administration a géré la crise du Moyen-Orient, la plupart ont préféré ne pas s'attaquer directement au Président ou à son bilan. Mais le leader religieux ultra-conservateur Pat Robertson a déclaré la semaine dernière que le "Président avait commis une grosse erreur en remettant en question l'action militaire d'Israël et en négociant avec le leader Palestinien Yasser Arafat". »

L'engagement de l'Amérique au cœur du conflit israélo-palestinien marque un tournant stratégique dans la préparation du conflit irakien. Washington veut gagner le cœur des Arabes, et à ce jeu Bagdad doit prendre l'Amérique de vitesse. Le 23 avril, Saddam Hussein déclare qu'il versera 25 000 dollars à toute famille palestinienne ayant perdu sa maison durant les incursions militaires israéliennes à Jénine.

Saddam marque des points

En même temps, le leader irakien renforce l'« embargo » pétrolier, purement symbolique, qu'il a décrété deux semaines plus tôt. Son pays, sous contrôle onusien, ne produit que 2 millions de barils par jour : une goutte de brut dans la mer de l'OPEP. Cette décision destinée à gagner la sympathie des foules arabes n'a eu aucun impact sur les cours pétroliers.

Mais cette fois, Saddam demande aux pays frères de suivre cet embargo par solidarité envers le peuple palestinien, déclarant même : « Je suis peut-être exaspérant mais je n'ai qu'une seule excuse : je cherche à faire ce qui plaira à Dieu. Non, le pétrole n'est pas un char d'assaut, un avion de chasse ou un canon. Mais il peut être utilisé comme une arme lorsque ces mêmes chars d'assaut, avions de chasse ou canons ne produisent pas l'effet escompté. Ou tout simplement lorsqu'il ne convient pas de les employer... »

Saddam, leader des masses arabes et de la lutte contre l'oppression israélienne en « Palestine ». Tel est le message qu'il tient à faire passer pour paralyser les gouvernements de la région, et pour tuer dans l'œuf toute collusion future des pays arabes avec les Etats-Unis dans le but de renverser son régime.

Parallèlement à cette stratégie, Saddam tient à gagner du temps sur la scène internationale. Il sait que les Nations unies, et le Conseil de sécurité, fourmillent de pays qui ne demandent qu'à se laisser convaincre de la « sincérité » irakienne, France, Chine, mais surtout Russie. Pour cette raison, les discussions sur le retour des inspecteurs reprennent le 1er mai, avec l'aval du leader de Bagdad et une directive précise de sa part : gagner du temps. La faiblesse intrinsèque des Nations unies, ses intérêts conflictuels et son inaptitude à agir même lorsqu'elle est aussi grossièrement manipulée qu'elle le fut par Saddam durant plus d'une décennie, poussent l'Irak à l'optimisme. Parler ne coûtait rien, et son négociateur est un homme plus souple que son prédécesseur, Tarek Aziz. Il a commencé sa carrière comme journaliste, puis est entré au gouvernement, obtenant un poste à l'ambassade de Londres de 1975 à 1980. Il travailla ensuite pendant trois ans au cabinet présidentiel, avant de devenir conseiller du ministre de l'Information et de la Culture. Il a également siégé comme représentant de l'Irak à l'Agence internationale pour l'énergie atomique. Naji Sabri donne l'image d'un homme mesuré avec qui le dialogue est possible, alors qu'en réalité sa marge de manœuvre est aussi étroite que celle des hommes qui l'ont précédé.

« Une erreur des gouvernements occidentaux – mais principalement européens – consiste à accorder un quelconque crédit aux personnalités irakiennes qui leur font face. Aussi diplomates, cultivés et ouverts qu'ils soient, ce ne sont que des ombres de Saddam. Ils écoutent, laissent entrevoir des solutions, puis rentrent à Bagdad pour faire leurs rapports. Et toutes les portes se referment... », nous déclarait un haut responsable du renseignement britannique.

Dès les premières discussions avec Kofi Annan, les Irakiens soumettent une liste de dix-neuf questions, principalement axées autour de deux thèmes : combien de temps dureront les inspections ? Et comment seront-elles conduites ? En fait, ce que demandent les hommes de Bagdad, c'est un mode d'emploi des perquisitions qui vont suivre, pour pouvoir égarer les inspecteurs sur le terrain. Encore une impasse pour l'ONU, et un gain de temps pour Saddam...

Avec des moyens dérisoires mais une ruse et un instinct de survie à toute épreuve, ce dernier marque des points. Il n'a pas la moindre chance de résister à une attaque américaine, mais parvient à enliser George Bush dans le marasme israélo-palestinien, à neutraliser le capital – potentiel – de sympathie arabe sur lequel l'administration fonde tellement d'espoir. Et ses discussions sans fin à l'ONU permettent aux nations les plus hésitantes de « croire » à une solution négociée. Ou plutôt de faire croire qu'elles y croient...

Dans un contexte si défavorable – une action totalement unilatérale est dangereuse. Très dangereuse... Bush a besoin d'une doctrine. D'un élément stratégique sur lequel appuyer son irrépressible envie de frapper l'Irak. Or, la politique de défense américaine est fondée sur le concept de « riposte massive » : en cas d'attaque, l'Amérique riposte avec une telle puissance que l'ennemi est littéralement balayé de la surface de la terre. Mais voilà, l'Irak n'a pas attaqué. Et personne n'est parvenu à prouver qu'elle soit liée aux attentats du 11 Septembre. Non seulement Bush n'a pas d'alliés extérieurs, mais il ne peut pas non plus faire reposer son projet de guerre sur la doctrine militaire officielle de son pays.

Qu'à cela ne tienne. Durant un discours à West Point, le 1er juin, le chef de l'exécutif américain articule l'embryon d'une nouvelle doctrine, marquant un tournant décisif dans l'histoire du renseignement et de l'armée. Ce nouveau concept, appelé « *preemptive action* » et surnommé dans la presse « *strike first* », ou « cogne le premier », est totalement calqué sur la doctrine militaire israélienne, qui a prévalu notamment lors de la destruction du réacteur nucléaire irakien au début des années 80 Pas de menace directe sur l'Etat hébreu, à cette époque. Juste un faisceau de soupçon et de craintes quant à l'utilisation qui pourrait être faite de l'uranium enrichi produit par le réacteur. Les Israéliens ont dépêché une escadrille de chasseurs sur le site d'OsIrak, le détruisant complètement.

Rumsfeld déclare d'ailleurs, lors d'un sommet de l'OTAN qui se tient à Bruxelles durant la même période : « L'Alliance ne peut plus attendre des preuves absolues

avant d'agir contre des groupes terroristes ou des pays
"menaçants" disposant d'armes chimiques, bactériologiques ou nucléaires... »

L'OTAN, avec sa frilosité bureaucratique habituelle,
s'empresse de répondre par la voix de son secrétaire
général : « Nous n'allons pas sortir pour chercher des
problèmes à résoudre. »

Cette nouvelle approche des conflits et des dangers
internationaux permet à Bush d'envisager une attaque
contre l'Irak de manière plus sereine. Il devient inutile de
trouver une bonne raison pour lancer une guerre : il suffit
de « penser » qu'on est en danger. Mais, selon un spécialiste des problèmes de défense, Harlan Ullman, la doctrine de « *preemptive action*" n'est séduisante qu'en
surface. Lorsque l'on y regarde de plus près, elle s'avère
à la fois complexe et dangereuse ».

De plus, mettre en place cette doctrine implique un
virage à 180 degrés dans la culture militaire américaine.
Même si l'ensemble de cette doctrine ne sera connu
qu'aux alentours de la fin de l'année, lors de la publication du document intitulé « Stratégie pour la sécurité
nationale », on s'aperçoit que les éléments à même d'autoriser une action militaire totalement unilatérale se mettent en place. Le dernier à s'opposer à une telle approche,
Colin Powell, recevra un nouveau camouflet au début du
mois de juin lorsqu'il évoquera la création d'un Etat inté-
rimaire pour la Palestine. Ari Fleischer, le porte-parole
de la Maison Blanche, le renvoie immédiatement dans les
cordes, comme si le secrétaire d'Etat n'avait émis qu'une
opinion personnelle sans le moindre intérêt.

L'option unilatéraliste semble gagner du terrain. A tel
point que la presse s'interroge. William Galston écrit
dans le *Washington Post* du 16 juin :

« Mais très peu de responsables, au sein des deux par-

tis, s'interrogent sur les conséquences diplomatiques à
long terme d'une action contre l'Irak, à laquelle s'opposent d'ailleurs un grand nombre de nos plus fidèles
alliés. » Et presque aucun n'a soulevé le point le plus
fondamental : une stratégie globale fondée sur la nouvelle
doctrine de Bush signifie la fin du système des institutions et des lois internationales que l'Amérique a contribué à construire pendant plus d'un demi-siècle.

« Ce qui est en jeu n'est rien de moins qu'un déplace-
ment fondamental de l'Amérique sur l'échiquier mondial.
Plutôt que de continuer à opérer en tête d'un groupe de
nations égales dans le système international qui succéda
à la Deuxième Guerre mondiale, les Etats-Unis élabore-
raient leurs propres lois, créeraient de nouvelles règles...
Sans l'accord des autres pays...

« A mon sens, cette nouvelle posture desservirait fortement les intérêts à long terme de notre pays... »

Parmi les pays arabes, l'Amérique trouve pourtant un
allié. Parmi les plus inattendus. Le 20 juin, on apprend
que l'une des figures de proue d'Al Qaeda, Mohamed
Haydar Zammar, a été arrêté au Maroc et envoyé à
Damas pour « interrogatoire ». L'Amérique, informée de
cette arrestation et de ce transfert, se félicite de garder les
mains propres alors que les services de sécurité syriens se
chargent du sale travail. « Aucun doute sur les méthodes
de Damas. Le suspect a certainement été torturé »,
explique un spécialiste du renseignement, longtemps basé
au Moyen-Orient. Les Américains soumettent des listes
de questions écrites aux Syriens, qui transmettent ensuite
les réponses du dirigeant d'Al Qaeda, en prenant soin
d'effacer tous les éléments qui pourraient impliquer
Damas.

La Syrie tient à profiter du 11 Septembre pour se
débarrasser de son image d'Etat terroriste. Elle essaie de

faire passer son message auprès des Etats-Unis, qui lui
prêtent d'ailleurs une oreille étonnamment compatis-
sante : « Il faut faire une différence entre le terrorisme de
"libération" qui sévit en Israël, et que nous soutenons, et
le terrorisme d'un Bin Laden que nous condamnons. »
Les dirigeants syriens essaient en fait d'expliquer qu'il y
a de « bonnes » et de « mauvaises » bombes. Mais
Washington tient à marquer des points dans cette région
pour préparer son offensive et passe discrètement sur cet
argument nauséeux, en louant la collaboration de Damas
sur le dossier Al Qaeda. Ce regain a même conduit à une
rencontre officielle, le mois précédent, entre le ministre
adjoint syrien des Affaires étrangères Walid Al Moualem
et un membre du Département d'Etat à Houston. « Les
échanges américano-syriens les plus intéressants que j'ai
connus », déclarera l'un des participants...

Moins d'une semaine plus tard, le 25 juin, Cheney
repart à l'attaque. Son intervention lie de manière insi-
dieuse les réseaux terroristes et l'« axe du mal » défini
par le président Bush durant son discours de l'Union.

Durant un petit déjeuner destiné à lever des fonds pour
le sénateur Gordon Smith, en Oregon, il déclare que le
gouvernement « a eu confirmation que Bin Laden et Al
Qaeda étaient sérieusement intéressés par les armes
nucléaires radiologiques et biologiques... ».

Il ajoute que l'intérêt irakien pour la production
d'armes de destruction massive constitue un danger gran-
dissant : « Un régime qui déteste l'Amérique ne doit
jamais être en mesure de menacer les Américains avec
des armes de destruction massive... »

Un faucon démissionne

Le lendemain de cette sévère condamnation, Bush se trouvait confronté à un nouvel exercice périlleux. Arrivé dans l'après-midi au village de Kanaksis, au Canada, pour le début des discussions du sommet du G7, un journaliste lui demande s'il condamne les nouvelles incursions militaires israéliennes. Bush répond : « Je continuerai de rappeler leur responsabilité aux différentes parties en présence. De leur rappeler que s'ils veulent la paix, ils doivent y travailler. Ecoutez... Tout le monde a le droit de se défendre, mais il faut aussi prendre des décisions pour aller de l'avant... »

Cette – très – timide allusion à l'intransigeance d'Ariel Sharon face au terrorisme palestinien est immédiatement passée aux oubliettes lorsque, quelques minutes plus tard, Bush coupe littéralement la parole au Premier ministre canadien Jean Chrétien, alors qu'un journaliste lui demande s'il appuie la position de Bush concernant Arafat : « J'ai dit..., martèle l'Américain, que les Palestiniens ont besoin d'un nouveau leadership. Démocratiquement élu. » Vouloir reléguer Arafat aux livres d'histoire n'est pas vraiment la meilleure manière de s'attirer des sympathies dans le Golfe. La coalition arabe pour assurer le renversement de Saddam n'est pas pour tout de suite...

Lorsque deux jours plus tard l'un des faucons de la Maison Blanche démissionne sans ménagement, on se demande si la balance n'est pas en train de pencher vers une solution diplomatique ; si tout le vacarme guerrier des derniers mois n'était, somme toute, rien d'autre qu'une euphorie passagère, conséquence du succès afghan. Le général Downing, qui part presque en claquant la porte, était l'un des militaires les plus atypiques de l'armée américaine. L'inverse d'un Powell, si diplomate qu'on en oublierait presque son ancien uniforme.

Downing affirmait qu'il fallait penser les guerres comme des hold-up, et que les stratèges devaient réfléchir comme des braqueurs de banques. Il avait passé une grande partie de sa carrière dans les opérations spéciales. Et il voulait la tête de Saddam...

Ce que certains ont alors analysé comme un recul du parti de la guerre marque en fait la consolidation de celui-ci. Avec le départ de Downing, c'est une certaine stratégie offensive contre Bagdad qui triomphe, et qui va marquer le début des préparatifs logistiques et militaires du conflit.

Downing voulait attaquer Bagdad avec un cocktail d'opérations spéciales, de bombardements aériens et d'agents irakiens infiltrés à l'intérieur du pays. Une guerre totalement en marge des livres et des cours qu'on enseigne à West Point. Eliot Cohen, un expert des problèmes de défense à l'université John-Hopkins, déclare d'ailleurs à son sujet : « C'est un guerrier plein d'idées, non conventionel au meilleur sens du terme, avec un esprit militaire très créatif : exactement ce dont on a besoin lorsque l'on mène des guerres aussi étranges... »

Son approche était contestée par la plupart des officiers supérieurs et des membres de l'état-major qui gravitaient dans l'entourage présidentiel. Le général Tommy Francks lui-même, commandant des opérations militaires dans le golfe Persique, s'opposait radicalement à cette tactique de quasi-guérilla. Il conçoit la guerre en Irak au travers d'une invasion massive, impliquant environ 200 000 hommes et une mise en place de plusieurs mois. Downing, vétéran des opérations spéciales durant la première guerre du Golfe, disposait d'un solide acquis en termes d'expérience et de connaissance militaires. Il tenta de faire triompher son point de vue, sans succès...

Il s'agit donc maintenant de suivre la méthode préconisée par les généraux Francks et Myers : reproduire le schéma qui prévalut durant la guerre de 1991, une attaque massive, précédée d'une offensive aérienne soutenue. D'un point de vue strictement militaire, il convient seulement d'améliorer, sans innover.

Quelques jours plus tard, le 5 juillet, le Pentagone annonce que 65 % des tirs sur cibles mobiles ont atteint leur objectif durant la guerre d'Afghanistan. Il s'agit d'une nouvelle de toute première importance. En effet, durant la première guerre du Golfe, les Américains avaient effectué 1 460 sorties à la recherche de ces fameuses cibles mobiles, majoritairement des rampes de missiles scuds. Les pilotes n'en avaient touché... aucune !

Cette annonce permet de calmer ceux qui craignent de voir Saddam utiliser ses armes chimiques et bactériologiques aux premières heures du conflit, contre Israël ou encore l'Arabie Saoudite. Un bombardement systématique et efficace des rampes de lancement permettra de contrer cette menace avant même que les ogives soient lancées.

Ces progrès spectaculaires proviennent de l'utilisation du système JSTARS : une imagerie radar capable d'identifier plusieurs cibles mobiles de manière simultanée, de les retransmettre à un avion de surveillance qui, à son tour, les répercute aux chasseurs F-15 E. L'armée de l'air et la Navy disposent d'autres instruments de reconnaissance également capables de fournir des coordonnées de tir aux chasseurs, et de détruire les cibles mobiles qui leur échappaient dix ans plus tôt. Durant la guerre d'Afghanistan, la Navy a même mis en place une Task Force spéciale destinée à réduire au minimum la « chaîne de mort », c'est-à-dire le temps qui sépare l'identification d'une cible et sa destruction...

Comme une bonne nouvelle n'arrive jamais seule, le front diplomatique lui aussi semble redevenir favorable aux Américains. Le 6 juillet, à Vienne, les Nations unies déclarent ne pas avoir réussi à persuader les Irakiens de réadmettre les inspecteurs onusiens dans leur pays. Les Etats-Unis croient que Bagdad n'acceptera pas leur retour. Et que la guerre est maintenant toute proche...

Le 13 et le 14 juillet, Paul Wolfowitz en personne est à Ankara, pour négocier le degré de participation de la Turquie dans l'effort de guerre américain. Ce pays aurait des raisons de traîner les pieds : avec l'embargo, on estime qu'il a perdu environ 50 milliards de dollars en onze ans. Mais il demeure l'un des interlocuteurs privilégiés de Washington dans la région. Seule ombre au tableau : qui va succéder au gouvernement actuel ? Probablement les islamistes. Wolfowitz négocie avec des hommes qui ne seront probablement plus en poste lors du déclenchement d'un futur conflit. Mais sa visite est importante dans la mesure où la Turquie constitue l'un des deux pays, avec le Koweit, sans qui rien n'est possible. « Nous sommes venus pour écouter..., déclare l'Américain. Nous ne sommes pas venus pour presser nos interlocuteurs au sujet d'une décision particulière. » Néanmoins, des responsables proches de Wolfowitz confirment que ce dernier a obtenu un accord pour l'utilisation de certaines bases militaires turques.

Si l'Amérique cajole la Turquie, l'Irak s'occupe de ses voisins du Golfe : le 18 juillet, soit trois jours seulement après le retour de Wolfowitz à Washington, Abdallah de Jordanie et cheikh Khalifa Bin Zayed Al Nahayan, le prince héritier d'Abu Dhabi, réaffirment leur opposition catégorique à une invasion de l'Irak...

Cette déclaration commune conclut un véritable marathon diplomatique, discret mais efficace, mené depuis le mois de mars par Naji Sabri. Entamé lors du sommet arabe de Beyrouth, durant lequel l'Irak a accepté de reconnaître les frontières du Koweit et engagé des discus-

sions sur la rétrocession des archives nationales kowei-
tiennes, il s'est ensuite poursuivi en Russie, en Europe et
au Moyen-Orient. Finalement, la semaine précédente,
Sabri a reçu à Bagdad le vice-ministre des Affaires étrangères iranien, Javad Zarif...

La bataille diplomatique se conclut à l'avantage des
Irakiens, mais on commence à avoir la désagréable sensa-
tion que les faucons de Washington veulent en découdre
quoi qu'il arrive. L'Irak gagne des semi-reconnaissances
diplomatiques qui n'ont pas vraiment le goût du succès :
les Arabes n'endossent pas l'invasion américaine... mais
demandent à l'Irak d'accepter les inspections. Les Américains ne reçoivent pas les garanties de soutien qu'ils
escomptaient dans la région, et pourtant les préparatifs
militaires s'accélèrent... Bref, malgré les efforts de Bagdad, on a l'impression que la volonté de Washington
demeure inchangée.

Cette détermination, à la limite de l'aveuglement, n'est
pas faite pour rassurer. Elle impressionne l'Irak, probablement, mais c'est aux Etats-Unis qu'une partie de la
classe politique commence à émettre des réserves : « On
ne peut pas larguer les paras sur Bagdad et croire que
tout se terminera ainsi ! » déclare le sénateur républicain
du Nebraska, Chuck Haigel.

L'establishment militaire, lui aussi, semble douter que
les bénéfices retirés d'une opération contre l'Irak soient
à la hauteur du risque encouru. Certains membres du
Congrès commencent à se poser des questions sur le
degré de préparation ou d'impréparation du projet... « On
pourrait parler de malaise », dit Christopher J. Dodd pour
décrire le sentiment qui prévaut au Congrès au sujet de
l'Irak. « On a l'impression que quelque chose va être fait,
mais que personne n'a pensé à la suite... »

Haigel, que nous venons de citer, se pose ouvertement

les questions que les faucons passent délibérément sous silence : « Est-ce que nous déstabiliserons encore un peu plus le Moyen-Orient si nous décidons d'intervenir militairement contre lui [Saddam] ? Qui seront nos alliés ? De quel soutien bénéficierons-nous à l'intérieur de l'Irak ? »

Le même jour, le ministre de la Défense donne une conférence de presse. Le mot d'ordre : ne pas sombrer dans des considérations comme celle que nous venons d'entendre. Il faut se focaliser sur la menace présentée par l'Irak – à titre informatif, le fameux dossier qui devait être présenté un mois plus tôt aux Nations unies, et détailler l'étendue de ladite menace, n'a toujours pas fait surface. Donald Rumsfeld déclare notamment : « Un laboratoire [d'armes] biologique peut être sur une remorque, et produire beaucoup de saletés. » Et penser que l'on peut s'occuper de ces engins depuis les airs, en les bombardant, dénote « une incompréhension totale de la situation ».

Le lendemain, devant le Congrès, le transfuge irakien Khidir Hamza déclare, sur la base d'un rapport des services secrets allemands : « Avec 10 tonnes d'uranium et 1 tonne d'uranium légèrement enrichi... en sa possession, l'Irak peut générer un uranium de qualité suffisante pour trois bombes nucléaires, en 2005... De plus, l'Irak utilise un réseau de sociétés en Inde et dans d'autres pays pour importer les équipements nécessaires à la poursuite de son programme, en les faisant transiter par des pays comme la Malaisie. »

Des « preuves » inaccessibles

Les arguments se répètent : les « preuves » américaines perdent de leur poids tant elles restent inaccessibles aux médias et au public. Comme précédemment, l'administration brandit une menace qu'elle n'étaie pas, et qui en devient suspecte. Du même coup, l'optimisme des faucons est remis en cause : on croit de moins en moins à une victoire rapide et indolore, calquée sur le modèle afghan.

Anthony Cordesman, du Centre pour les études stratégiques et internationales, basé à Washington, déclare au journal britannique *The Guardian* : « L'Irak est peut-être un adversaire bien plus facile que ses 400 000 hommes ne le laissent croire. Mais il peut, au contraire, s'agir d'un adversaire très sérieux. Pour être tout à fait franc, je pense que seuls les fous seraient prêts à parier la vie d'autres hommes et d'autres femmes sur leur propre arrogance. Seuls les fous peuvent appeler une bataille contre 400 000 hommes un "pique-nique"... »

Dans la même interview, Cordesman explique qu'à la différence d'une attaque sur le Koweit ou sur Kaboul, les avions qui survoleront Bagdad évolueront dans un véritable blizzard de feu, « provenant d'un des réseaux de défense antiaérienne les plus denses de la planète ».

Le même jour, on apprend qu'un groupe d'opposition, le Mouvement national irakien, perd un tiers des membres de sa direction (ils n'étaient que 15) à la suite de démissions en chaîne. Après avoir reçu 315 000 dollars de subventions de la part du Département d'Etat...

C'est un réel coup dur pour Powell. Le secrétaire d'Etat est accusé de chercher à diviser l'opposition irakienne à des fins de politique politicienne. En fait, même si cela est en partie vrai, Powell est également excédé par les fraudes et les irrégularités de ces groupes. Il a récemment bloqué 8 millions de dollars à destination de l'INC, refusant de couvrir des opérations « clandestines » dont l'efficacité semble pour le moins discutable. Le Département d'Etat n'a jamais accordé grand crédit aux informations recueillies par ses groupes, alors que celui de la Défense, par exemple, les considère comme des données de premier ordre. Au lendemain du fiasco généré par l'éclatement du Mouvement national irakien, Rumsfeld décide de prendre à sa charge le financement des activités clandestines de l'opposition irakienne...

De même que l'on reproche au chef de la diplomatie américaine de pratiquer sa propre politique envers Israël (avec une tonalité plus propalestinienne), ou encore envers l'Iran, l'annonce de ce fiasco est la goutte d'eau qui fait déborder le vase.

« Plus le Département d'Etat essaie de diviser l'opposition, plus nous aurons de problèmes », déclare Michael Rubin, de l'American Entreprise Institute, suggérant à Colin Powell d'« arrêter ces petits jeux, et de travailler avec le département de la Défense et les autres responsables de l'administration ».

Cette tendance de Powell à faire cavalier seul, à vouloir mener sa propre stratégie, tient peut-être aux réminiscences de l'avant-11 Septembre, lorsque le Président faisait si peu de cas de la politique étrangère. A ce sujet, lors de son entrée en fonctions, un haut responsable de la Maison Blanche rapporte cette anecdote : « On déclara à Powell qu'il disposait, comme c'était l'usage dans la plupart des administrations, d'une heure par semaine, en tête à tête avec le Président, pour discuter des dossiers les plus importants, concernant la diplomatie américaine. A quoi Powell aurait répondu, sur le ton de la plaisanterie : "Mais qu'est-ce que je vais bien pouvoir faire des cinquante-cinq minutes restantes ?" »

Le lendemain, plusieurs personnalités des administrations précédentes s'expriment devant le Sénat sur le problème de l'Irak. On s'aperçoit que la classe politique est aujourd'hui très loin de la belle unanimité qui prévalait au lendemain des attentats et durant le conflit afghan. Caspar Weinberger, ancien secrétaire à la Défense du président Reagan, demande une action militaire rapide et décisive contre Saddam Hussein. Samuel Berger, conseiller à la sécurité nationale du président Clinton, est plus mesuré : « Si nous ne faisons pas les choses bien, nous risquons de finir avec une situation pire que celle qui prévalait avant notre arrivée... »

Plusieurs sénateurs, démocrates et républicains, mettent le Président en garde contre toute action militaire décidée sans l'aval du Congrès. « Si le président Bush décide qu'une action de grande envergure est nécessaire contre l'Irak, j'espère qu'il suivra la voie tracée par la précédente administration Bush, et qu'il demandera l'autorisation du Congrès », déclare le sénateur Richard Lugar, de l'Indiana.

Cependant d'autres, comme le républicain Trent Lott, pensent qu'au travers de la lutte contre Al Qaeda, « probablement présent en Irak », le Congrès a déjà donné l'autorisation nécessaire au Président pour une future opération dans ce pays.

L'Irak enfonce le clou, et accentue encore les divisions qui se font jour dans l'opinion américaine et mondiale, en invitant Hans Blix à Bagdad pour des discussions qui « pourraient permettre le retour des inspecteurs ».

Saddam joue sur les faiblesses de son adversaire américain, en laissant entrevoir l'espoir d'une solution négociée. Cette subtilité manœuvrière contraste avec les déclarations américaines, toujours identiques, et toujours si peu fondées. Rumsfeld déclare à nouveau, au début du mois d'août, que l'Irak « est en relation avec le réseau d'Al Qaeda ». Mais, encore une fois, rien ne vient étayer cette affirmation. Le *Los Angeles Time* cite un haut responsable de l'administration Bush, sous couvert d'anonymat, expliquant que « Saddam a des liens avec le terrorisme international. Nous sommes de plus en plus convaincus [*we have growing evidence*] qu'Al Qaeda fait partie de ces organisations ».

Ce « haut responsable » revient même sur les rencontres secrètes qui auraient eu lieu l'année dernière entre Mohamed Atta, le chef des terroristes du 11 Septembre, et un agent des services secrets irakiens à Prague : « Les preuves que nous avions tiennent la route », déclare-t-il.

Ce responsable « anonyme » contredit pourtant les déclarations de la CIA et du FBI qui ont annoncé il y a plusieurs mois ne disposer d'aucune preuve solide pour étayer l'hypothèse d'une rencontre entre les deux hommes. Si la CIA, dans ses déclarations publiques, n'est probablement pas l'organisme américain le plus digne de confiance, on peut pourtant croire à la vérité dans ce cas précis. L'administration américaine tient tellement à établir un lien entre Bagdad et Al Qaeda que le moindre embryon de piste, s'il existait, serait immédiatement étalé au grand jour...

Le 2 août, un des poids lourds du parti républicain, le sénateur Shelby, membre de la commission du renseignement, déclare : « Je pense que la question n'est pas de savoir si on envahit l'Irak. La question est de savoir si on attend jusqu'à ce qu'il ait construit suffisamment d'armes de destruction massive pour nous causer, à nous et à nos troupes, des dommages irréparables, ou est-ce que l'on essaie d'anticiper [*preempt*] ?

« ... Je pense qu'ils continuent de fabriquer des armes de destruction massive en de nombreux endroits dont nous ignorons l'existence. Chaque mois, chaque semaine,

Saddam Hussein dispose de plus en plus d'armes de destruction massive qu'il pourra utiliser contre nous. Alors pourquoi remettre [l'offensive] à plus tard ? »

Le même jour, le *Times* de Londres mentionne un rapport du ministère des Affaires étrangères britanniques, diffusé de façon restreinte au sein des principaux membres du gouvernement, et faisant état de possibles transferts d'armes biologiques à certains groupes terroristes palestiniens.

Un responsable du Mossad confirme la possibilité que « des scientifiques irakiens puissent développer des agents biologiques capables d'être diffusés en aérosols », notamment dans les systèmes de ventilation des immeubles des grandes villes israéliennes.

En effet, si les liens de l'Irak avec des organisations telles qu'Al Qaeda sont loin d'être établis, son implantation dans les territoires occupés est unanimement reconnue. Bagdad octroie des dons qui, s'ils sont dérisoires pour le dictateur dont on sait que la fortune personnelle dépasse les 10 milliards de dollars, lui permettent de jouir d'un prestige énorme dans une région stratégique où convergent actuellement les sympathies de tout le monde musulman.

Les manifestations de liesse à Gaza, durant lesquelles son portrait est brandi par une foule hystérique clamant : « Cher Saddam, bombarde Tel-Aviv ! » sont autant de victoires diplomatiques au moins aussi importantes que les marchandages onusiens...

Car, sur tous les fronts, l'Irak ne semble pas en aussi mauvaise posture qu'on pourrait le croire. Les divisions internes et les appels à la prudence se font entendre de manière plus insistante, au point que le président de la commission des forces armées du Sénat délivre ce message doublement embarrassant pour l'administration : il est peu probable que Saddam Hussein utilise ses armes de destruction massive sauf si son pays était attaqué, déclare Carl Levin sur CNN.

Deux éléments dans cette interview semblent contredire, ou du moins compliquer, la posture des faucons. Saddam n'utilisera probablement pas de têtes chimiques, biologiques ou – à supposer qu'on lui laisse le temps d'en produire – nucléaires si on ne l'attaque pas. Une théorie aux antipodes de celle exprimée par Rumsfeld ou Wolfowitz. Pour eux, la menace irakienne est presque palpable : elle pèse sur nous comme une épée de Damoclès, dit-il. Pas pour Levin, qui est loin d'être un homme mal informé. Sa position lui confère un accès direct à des documents hautement confidentiels, Notamment à la DIA (Defense Intelligence Agency) et aux divers services de renseignements des forces armées (Navy, Air Force, etc.). Et il ne croit pas au risque de voir l'Irak attaquer ses voisins sans raison.

Le deuxième élément est encore plus préoccupant : « Oui..., déclare Levin, l'Irak nous attaquera avec tout son arsenal si nous tentons de l'envahir avec comme objectif affirmé le renversement de Saddam. » Non seulement les faucons ont tort de croire que l'Irak attaquera, mais ils risquent de provoquer eux-mêmes la menace qu'ils tentent de circonscrire.

Bush ne paraît pas très ému par les nombreuses mises en garde des semaines précédentes (provenant de responsables démocrates, mais également républicains). Prononçant un discours dans le Maine, il met Saddam Hussein au pied du mur : « Nous devons, pour le futur de la civilisation, empêcher le pire des leaders de la planète de développer les pires armes de la planète. [Ces armes] lui permettraient de tenir en respect les nations qui, elles, chérissent la liberté...

« J'ai parfaitement compris que l'Histoire nous

demande d'agir [*has called us into action*]. Ce pays défendra la liberté quel qu'en soit le prix... »

Mais, alors qu'une partie de son administration pousse à la guerre et que l'autre, à travers Colin Powell, s'évertue toujours à arpenter les sentiers diplomatiques et insister pour un retour des inspecteurs en bonne et due forme, l'intransigeance belliqueuse de Bush ne fait rien pour calmer les esprits. Lieberman, un sénateur démocrate mais farouchement partisan d'un affrontement avec l'Irak, déclare le 5 août : « Je pense que nous sommes arrivés à un point où le Président doit maintenir fermement la barre. » Ajoutant par ailleurs qu'avant de chercher à convaincre le peuple américain ou le Congrès, Bush doit mettre un terme aux messages contradictoires et aux fuites en provenance de la Maison Blanche.

Presque en même temps, on apprend qu'Israël a produit un grand nombre de vaccins contre la variole, et complétera ses stocks de manière à pouvoir vacciner l'ensemble de sa population...

10

L'Europe reflète les divisions qui émergent à travers la classe politique américaine, mais elle les amplifie comme une gigantesque caisse de résonance : peu de pays, à part l'Espagne, l'Italie et l'Angleterre du fidèle Tony Blair, cautionnent l'attitude américaine. Le Premier ministre britannique, qui a choqué la presse de son pays (avec laquelle ses relations étaient déjà devenues exécrables) en instituant des conférences de presse « à l'américaine », a déclaré que « le bénéfice retiré de notre collaboration avec Washington était colossal ». Lorsque quelques mois plus tôt l'Angleterre a usé de ses « relations privilégiées » pour s'élever contre la décision américaine de protéger ses producteurs d'acier, Bush n'a même pas jugé utile de répondre à son « ami ». Blair a insisté, sans succès...

Pourtant, le Britannique continue à se battre pour une « amitié » dont on comprend de moins en moins bien les tenants et les aboutissants : plus de 130 parlementaires de son propre parti ont pris officiellement position contre la politique irakienne du Premier ministre, et plusieurs membres de son gouvernement pourraient démissionner s'il autorise une participation britannique aux côtés des soldats américains...

Et comme si la pression interne n'était pas suffisante, le roi Abdallah de Jordanie s'arrête à Londres au début du mois d'août pour rencontrer Blair, avant de poursuivre sur Washington. Durant ses entretiens, le souverain hachémite a exprimé lui aussi ses réserves et ses doutes sur l'intérêt d'une opération militaire.

José Maria Aznar, le Premier ministre espagnol, s'est aligné sur la position américaine, appuyant le fameux discours de l'Union et le concept d'un « axe du mal ». En ce début du mois d'août, Berlusconi adopte une position moins tranchée mais tout de même favorable à Washington. Pourtant, son ministre de la Défense Antonio Martino met en garde : la participation de l'armée italienne à une opération contre l'Irak sera liée à l'émergence de preuves incontestables quant à l'implication de Bagdad dans les affaires de terrorisme international.

Avec le reste de l'Europe occidentale, les relations sont fraîches, principalement à cause de Bagdad. La France maintient une attitude mesurée, exposant ses réserves sans détour et liant notamment les pressions contre l'Irak à la recherche d'une solution de paix au Moyen-Orient. Paris ne cache pas non plus sa préférence pour un retour des inspecteurs : aucune action militaire ne peut être envisagée sans avoir épuisé l'ensemble des recours diplomatiques possibles, notamment au travers des Nations unies.

L'Allemagne vit ses dernières heures de l'été. Dernières heures durant lesquelles on peut encore la compter comme un interlocuteur sérieux, avant qu'elle ne sombre dans une spirale de clientélisme électoral qui la poussera de lâchetés en indécence, culminant quelques semaines plus tard avec la comparaison faite par un ministre du gouvernement social-démocrate entre George Bush et Adolf Hitler. Le chef de l'exécutif américain sera, selon un des membres de son Conseil de sécurité, « plus furieux qu'il ne l'a jamais été ». Il n'appellera pas

Schröder – qui porte une grande responsabilité dans ces débordements – après sa réélection, ne recevra pas le ministre de la Défense lors de son passage à Washington. Donald Rumsfeld qualifiera même les relations entre les deux pays d'« empoisonnées »...

L'opposition CDU-CSU fait montre d'une plus grande nuance : elle condamne l'attitude de Schröder, expliquant qu'elle ne peut conduire qu'à la marginalisation de l'Europe face à l'Amérique...

Mais l'Europe n'est pas la seule à diverger de la position américaine. Le mercredi 7 août, dans une interview accordée à l'agence Associated Press, le ministre des Affaires étrangères saoudien, le prince Al Saud, de retour d'un week-end à Téhéran, déclare que le royaume n'autorisera pas l'utilisation des bases saoudiennes en cas de conflit avec l'Irak. Lors de son voyage en Iran, il a déjà déclaré, en compagnie du président Katami, que l'Irak « ne devait pas fournir de raison [à l'Amérique] pour entamer une guerre ».

Donald Rumsfeld minimisera la déclaration en faisant valoir qu'aucune attaque n'a encore été décidée...

Des « *fuites* » au Pentagone

A vrai dire, au même moment, le secrétaire à la Défense est préoccupé par un tout autre problème. Questionnés durant un briefing au Pentagone sur de nouvelles « fuites » au plus haut niveau de l'administration, Rumsfeld et le chef d'état-major interarmes, Richard Myers, expriment leur colère, menaçant de lancer le FBI sur la piste de ceux qui ont parlé à la presse, sous la charge de « violation de la Sécurité nationale ».

En fait, le plus exaspérant pour Rumsfeld et Myers est l'absence totale de discipline et de coordination que ces fuites mettent en lumière. Les adversaires du ministre de la Défense parlent à la presse pour influencer l'opinion, ou pour neutraliser des plans auxquels ils s'opposent. Si une stratégie militaire est arrêtée, et que l'un des participants s'y oppose, il lui suffit de la faire circuler en détail dans les médias pour qu'elle perde toute raison d'être : « Autant la faxer directement à Saddam », comme le déclare un responsable de la DIA.

Cette « fuite », obtenue par le *Washington Times*, déclare qu'après des mois de résistance, certains membres de l'establishment militaire ont accepté l'idée d'une nouvelle guerre, malgré les craintes initiales concernant le niveau des pertes et l'utilisation possible d'armes chimiques.

Ce changement est intervenu à la suite des pressions exercées par la direction civile du Pentagone (Rumsfeld et Wolfowitz, entre autres). Un conseiller aurait déclaré que « dans les administrations précédentes, un général quatre étoiles qualifiant une guerre de "mauvaise idée" suffisait à faire revenir le secrétaire à la Défense sur ses positions. Mais dans l'administration Bush, les civils ne veulent pas démordre de l'idée que la guerre est le seul moyen de déloger Saddam et de venir à bout de son arsenal ».

Selon la revue israélienne *Debka*, spécialisée dans le renseignement et le contre-terrorisme, des bombardiers américains et britanniques venaient de détruire un centre de commandement irakien près d'Al Nukhaïb. Le centre contenait un réseau de fibres optiques installé par des entreprises chinoises, neutralisé grâce à des techniques d'un type nouveau, spécialement conçues pour le repérage de ces systèmes.

Un peu plus tard, d'autres chasseurs décollaient de la base saoudienne Prince-Sultan pour survoler Bagdad. Ce test a permis aux Américains de constater que les radars irakiens implantés autour de la capitale n'étaient pas activés.

Le 8 août, des hélicoptères déposaient plusieurs unités de commandos turcs près de Bamerni, dans le nord de l'Irak. Leur mission consistait à prendre le contrôle de cet aéroport, à seulement 50 miles des champs pétroliers de la région. Les commandos étaient accompagnés par un groupe de Forces spéciales américaines. Les alliés s'emparèrent rapidement de l'aérodrome, après avoir détruit une unité blindée de l'armée irakienne postée en défense.

L'unité des Forces spéciales, après avoir reçu du renfort, pénétra plus loin en territoire ennemi pour d'emparer de deux aérodromes secondaires.

Cette opération conférerait aux alliés un avantage stratégique non négligeable en cas de conflit, dans la mesure où ces derniers disposent maintenant d'un contrôle aérien total sur les villes de Kirkuk et de Mossoul, ainsi que sur l'axe ferroviaire reliant la Syrie et l'Irak.

Pourtant, les avertissements se multiplient. Dick Armey, un parlementaire républicain du Texas, met en question la stratégie entière du Président vis-à-vis de l'Irak : « Tant qu'il reste dans ses frontières, nous ne devrions pas l'attaquer. »

Malgré l'approbation élevée du peuple américain (un sondage CBS montre que les deux tiers du pays soutiennent une action contre l'Irak *si* elle obtient l'accord du Congrès), la classe politique semble redevenir sceptique. L'Amérique doit prendre une décision rapide : attaquer avant que l'opposition ne devienne suffisamment forte et homogène pour contrarier les plans des faucons...

Malheureusement, cela est impossible : rassembler plusieurs centaines de milliers d'hommes, des millions de tonnes de matériel et des centaines d'avions de combat, tout cela dans plusieurs bases où l'Amérique n'est pas toujours la bienvenue... Il faudra du temps, et le temps ne s'achètera qu'à coup de diplomatie. Il est maintenant temps pour Powell de prendre le devant de la scène...

Depuis le terrain de golf de Ridgewood, au Texas, le 10 août, Bush déclare aux reporters présents : « Nous sommes en train de mener des consultations avec le Congrès, mais également avec nos amis et alliés. »

Le propos n'est plus centré sur la menace représentée par Saddam, mais sur le fait que, pour la contrer, l'Amérique cherche à obtenir un aval de la communauté internationale. En parallèle, les préparatifs militaires se mettent en place. Confronté au refus de l'Arabie Saoudite d'utiliser ses bases, même si celui-ci n'est pas définitif, le Pentagone décide de ne rien laisser au hasard : le complexe d'Al Udeid, au Qatar, devient le centre d'une activité intense, militaire et logistique. Sa piste de près de 5 000 mètres est l'une des plus longues de la région, permettant le décollage des plus gros avions de transport de l'armée. Représentant déjà un investissement de plus d'1,4 milliard de dollars, Al Udeid va être encore agrandi et amélioré. La fin des travaux est prévue pour décembre 2002.

Parallèlement, on apprend quelques jours plus tard que le Pentagone vient de louer deux cargos géants pour transporter des véhicules blindés et des hélicoptères en provenance d'Europe et en direction du Golfe, plus huit autres cargos pour le reste de son matériel, qui demeureront stationnés dans l'océan Indien, sur la base de Diego Garcia. L'Amérique cherche des alliés, mais elle continue tout de même son encerclement de l'Irak...

Aux Nations unies, Bagdad reprend le manège qui lui a permis de survivre pendant si longtemps. Après avoir invité Hans Blix en Irak pour « discuter du retour des inspecteurs », nouvelle volte-face : « Le travail dans le cadre des Nations unies concernant les armes prohibées... ce travail a été achevé. Ils disent qu'il reste quelque chose. Nous pouvons répondre et récuser cette affirmation... », explique Mohamed Saeed Al Sahhaf, ministre de l'Information irakien.

Cette interview rapportée par la chaîne de télévision Al Jazeera le lundi 12 août est suivie d'une demande faite par l'Irak aux Nations unies, le même jour, visant à utiliser plus de 12 millions de dollars appartenant au programme humanitaire mis en place pour alléger l'effet des sanctions, et ce pour payer ses dettes aux mêmes Nations unies...

Immédiatement, l'Amérique refuse et l'ambassadeur irakien aux Nations unies, Mohamed Al Douri, invoque cette intransigeance comme une preuve supplémentaire de la mauvaise foi de Washington.

Le même jour, à Djeddah, dans la fournaise de l'été saoudien, le prince héritier Abdullah d'Arabie Saoudite et Abdallah de Jordanie tentent de trouver une solution négociée permettant d'échapper à un conflit qui paraît maintenant presque inéluctable. « La région a déjà assez de problème comme ça ! » confiera le ministre des Affaires étrangères jordanien à l'issue des entretiens.

« On a su que quelque chose n'allait pas »

Le lendemain, un pas de plus est franchi vers la guerre : des photos prises par un satellite-espion américain signalent un convoi de plus de soixante véhicules sur un site connu pour fabriquer des armes biologiques, à environ 9 kilomètres de Bagdad. Après la guerre du Golfe, les inspecteurs ont découvert que ce site avait servi à fabriquer des centaines de litres de toxine botulique. On y avait aussi découvert la preuve que l'Irak avait armé des scuds en les bourrant de VX, cet inhibiteur de cholinestérase capable de tuer par simple contact...

Ce site est considéré comme l'un des plus sensibles du pays. Il abrite au moins une unité de la garde républicaine, et ce regain d'activité tient peut-être au transfert de produits toxiques en direction d'autres sites militaires. Si Saddam Hussein veut charger des produits tels que le VX, la variole ou l'anthrax sur les ogives de ses missiles, il devrait les embarquer sur des convois de ce type, jusqu'aux rampes de lancement...

Il ne s'agit pas de la première alerte. Au début du mois d'août, les services secrets ont placé en surveillance rapprochée le laboratoire « Tahhaddy », ou « Challenge », que certains soupçonnent de travailler sur des virus comme Ebola, ou d'autres fièvres hémorragiques du même type.

Dans ce cas précis, il ne s'agit pas d'une déclaration en l'air : les photos satellites sont là et les experts ne trouvent pas d'explication satisfaisante. Un responsable du renseignement américain avoue être préoccupé : « On a su que quelque chose n'allait pas en observant ces images. Nous suivions tous les mouvements autour des sites contrôlés depuis des années... Cette fois, Saddam a fait rentrer ou sortir quelque chose de Taji [le nom du site], sans que l'on puisse savoir ce dont il s'agit. Tout ce que l'on peut déduire, c'est que la taille et l'importance du chargement étaient exceptionnelles : on ne mobilise pas des dizaines de véhicules pour déménager deux ou trois éprouvettes... Cette fois, ce n'est pas le baratin du Pentagone : il y a vraiment eu un mouvement de grande ampleur sur un site militaire biologique... »

Comme par hasard, quelques jours après que le Congrès national irakien est passé sous le contrôle du Pentagone pour le financement de ses actions clandestines, il revendique coup sur coup un attentat contre le fils cadet de Saddam Hussein et l'explosion d'une bombe au Parlement irakien, organe fantoche et sans pouvoir, aux ordres du président. Qusay est le deuxième fils de Saddam. Son aîné, Uday, psychopathe reconnu et sadique sexuel, fut réduit en 1996 à l'état de légume par une fusillade aux circonstances et aux commanditaires mal élucidés. Une des maîtresses de son père, de nationalité grecque mais aujourd'hui réfugiée à Beyrouth, déclare avoir entendu ce dernier déclarer peu avant l'attentat : « Un jour je vais devoir le tuer [Uday, son fils]... Sérieusement : il va falloir que je le tue. »

Pour Qusay, il ne fait aucun doute que son père est totalement étranger à l'attentat. Aussi sanguinaire et vicieux que son frère, le jeune Hussein est néanmoins plus intelligent et plus subtil. Il dirige le Mukharabat, le service de sécurité interne redouté de tous les Irakiens, et son père le considère comme son successeur. L'attaque dont il vient d'être victime est, en effet, probablement à porter au crédit de l'INC, opérant sous la pression de Rumsfeld.

« Il n'agit pas du tout comme le faisaient les hommes du Département d'Etat, qui laissaient les opposants irakiens couler des jours oisifs. Rumsfeld veut des résultats, surtout en termes d'opérations clandestines à l'intérieur de l'Irak », nous confia un responsable de l'administration Bush associé aux négociations avec l'INC.

« *Bush, le plus arriéré des présidents américains...* »

Le lendemain, ce fut au tour de Condoleeza Rice, jusqu'ici relativement neutre dans ses prises de position, de décréter ce qui s'avère être presque une déclaration de guerre : les Etats-Unis n'ont pas d'autre choix que d'agir contre le président irakien Saddam Hussein. Cette femme extrêmement brillante, très liée à l'industrie pétrolière – un super-tanker de la compagnie Chevron, dont elle était directrice, portait son nom, jusqu'à ce qu'elle demande à ce que l'on débaptise le navire, lors de son accession à un poste à la Maison Blanche –, ajoute durant la même interview à la BBC : « Nous ne pouvons certainement pas nous permettre le luxe de ne rien faire... Nous pensons que les arguments en faveur d'un changement de régime sont extrêmement forts. »

Le même jour, Tony Blair paie son amitié au prix fort : si une attaque contre l'Irak remporte l'adhésion d'une majorité d'Américains, les Britanniques, eux, sont pour le moins sceptiques ; Gerald Kauffman, un ancien porte-parole du parti travailliste pour les affaires étrangères, déclare au sujet des « amis » du Premier ministre : « Bush lui-même, le plus arriéré des présidents américains de toute ma vie politique, est entouré par des conseillers dont le bellicisme n'a d'égal que leur illettrisme politique, militaire et diplomatique... »

Le lendemain de l'attentat contre le fils de Saddam, le porte-parole du Département d'Etat Philip Reeker annonce que les 8 millions de dollars en suspens seront versés à l'INC, « pour publier un journal, émettre des émissions anti-Saddam en Irak, et maintenir en état de marche certaines représentations à l'étranger ».

Récompense pour les deux attentats de la semaine ? Toujours est-il que Powell, qui n'avait obtenu aucun résultat lorsque les opposants étaient sous sa coupe, se voit encore une fois marginalisé par Rumsfeld et ses amis. Pourtant, ce genre d'opération clandestine va graduellement perdre de son importance : au cours des mois suivants, c'est l'offensive diplomatique du secrétaire d'Etat qui va capter l'attention de tous les observateurs.

Mais certaines incohérences au sein même de la ligne dure commencent à apparaître. Par exemple cet « axe du mal » où l'Iran occupe une place de premier ordre : « Nous sommes très préoccupés car l'Iran est un endroit où une minorité non élue opprime les aspirations de son peuple », déclare Condoleeza Rice. Alors, comment expliquer que les millions de dollars reçus par l'INC, du Département d'Etat et du Pentagone, soient ensuite partagés entre les différentes factions de ce mouvement, dont le Conseil suprême de la révolution islamique, une organisation au moins aussi proche de Téhéran que de Washington ? L'administration Bush paie un groupe de « résistants » armés qui prônent pour l'Irak de demain des idées très proches, voire identiques à celles des mollahs iraniens...

Brent Scowcroft, l'ancien conseiller à la Sécurité nationale du père de l'actuel président, décide de mettre en garde l'administration contre le risque d'une aventure irakienne : « Je pense que nous pourrions connaître une véritable explosion au Moyen-Orient. Cela pourrait transformer cette région en une marmite bouillante et détruire notre combat contre le terrorisme... », déclare-t-il dans une interview à la BBC, ainsi que dans un article du *Wall Street Journal*.

Il s'agit d'un double camouflet pour George Bush, qui n'est jamais très heureux d'entendre un poids lourd du parti républicain exprimer des réserves publiques sur sa politique. Dans le cas de Scowcroft, l'affront est ressenti plus durement encore, dans la mesure où il s'agit d'un « homme de papa ». La violence de la riposte est étonnante. Aux propos somme toute mesurés de l'ancien conseiller présidentiel, le *Washington Times* rétorque, dans un article intitulé : « Scowcroft et sa boule de cristal embrumée » : « ... L'ancien conseiller à la Sécurité nationale n'est pas vraiment réputé pour sa clairvoyance (il a conseillé à l'ancien président de laisser Saddam Hussein au pouvoir). Avec une myopie plus grande encore, il n'arrive pas à se figurer que Saddam fait partie du terrorisme international [comme la CIA, et comme les faucons de la Maison Blanche qui n'arrivent toujours pas, à leur grand désespoir, à obtenir la moindre preuve] ! Saddam est un problème, mais pas un problème lié au terrorisme [ce qui paraît tout à fait censé, au vu des informations actuellement disponibles]. Comme la priorité du président W. Bush consiste à éliminer les réseaux du terrorisme islamiste, Mr. Scowcroft lui conseille de s'attacher à résoudre le conflit israélo-palestinien, et de rester loin de l'Irak...

« ... Mr. Scowcroft n'est peut-être plus un intime des rapports top secrets, mais ses accréditations actuelles l'autorisent certainement à lire les journaux. Certains d'entre eux brossant un portrait très différent de Saddam Hussein et de ses liens avec le terrorisme international... »

Un article paru le 16 août dans la *National Review Online* déclare « qu'il est toujours rassurant d'entendre Brent Scowcroft attaquer vos convictions les plus chères, dans la mesure où cela ne vous amène qu'à les chérir davantage »...

Le *New York Sun* n'est pas en reste, qui dénonce les liens de Scowcroft avec l'industrie pétrolière et même avec l'avocate américaine proche de l'OLP, Rita Hauser, ou encore avec Kenneth Lay, l'ancien P-DG d'Enron... Tout ce qui pouvait l'être a été écrit sur Brent Scowcroft à la suite de son article qui pourtant, en apparence, ne développait aucune thèse particulièrement risible.

Scowcroft a peut-être tort de réfuter si catégoriquement les liens de Saddam Hussein avec les réseaux terroristes, dans la mesure où cette nébuleuse antiaméricaine est poreuse. Malgré des différences idéologiques profondes, il y a fort à parier que certains mouvements terroristes ont reçu des aides en provenance de l'Irak, qu'elles soient matérielles, logistiques ou autres. Mais considérer l'Irak comme une base d'Al Qaeda, au même titre que la Somalie, le Soudan ou l'Afghanistan des Talibans est également une erreur.

Il existe des faisceaux de présomptions liant l'Irak à certains événements, tels que le premier attentat contre le World Trade Center, la tentative d'assassinat contre George Bush père, ou encore les attaques avortées contre les radios de propagande américaines diffusant en Irak et basées à Prague. Mais dans chaque cas, la piste se meurt avant de nous avoir amené jusqu'à Saddam Hussein...

Comme nous le déclarait un agent du Mossad stationné en Europe centrale : « Les services secrets militaires irakiens sont insaisissables. Dans la communauté du renseignement, on sait qu'ils opèrent avec diverses factions terroristes. Toutes les infos se recoupent, de l'Ukraine à la Tchétchénie, de l'Algérie à l'Irak en passant par Israël ou la Somalie... Mais ce sont des "tuyaux" et aucune de ces informations n'est suffisamment solide pour remonter jusqu'au grand public, ni même jusqu'aux gouvernements occidentaux. Ce que l'on a de plus concret, à vrai dire, c'est ce Boeing 707 garé sur la base militaire de Salman Pak [en Irak] depuis quelques années, et dans lequel les services spéciaux "entraînaient" des commandos à la prise d'otage. Comme tout le reste, ça ne prouve rien. Mais il faut être d'une sacrée mauvaise foi pour ne pas se poser de questions. »

Les alliés, une denrée rare

Sur NBC, le sénateur Richard Lugar déclare que l'Amérique a besoin de l'aval des pays de l'OTAN. « Mettre en place une coalition sera très difficile, mais cela doit être fait. »

En parallèle, le 21 août, George Bush organise une grande réunion militaire dans son ranch de Crawford, au Texas. Officiellement, il s'agit de discuter des politiques de défense et des budgets de l'armée. « Puis-je vous garantir que "ce" mot [Irak] ne sera pas prononcé ? Non, bien sûr que non... », ironise le responsable de la presse à la Maison Blanche, Ari Fleischer. En fait, il s'agit d'un demi-mensonge, dans la mesure où n'importe quel conflit à venir aura des répercussions sur les futurs budgets militaires. Bush et ses conseillers sont réunis pour parler de l'Irak et de ses conséquences financières : un sujet jusqu'alors remarquablement passé sous silence, bien que la plupart des responsables s'accordent à reconnaître qu'une opération militaire et une présence sur le terrain de 50 000 hommes pendant une décennie se chiffreraient en dizaines, voire en centaines de milliards de dollars. Mais un « nouveau plan Marshall est à ce prix ».

A la fin de sa réunion, Bush sort rejoindre les journalistes en compagnie de Donald Rumsfeld, annonçant seulement que le commandant du golfe Persique, le général Tommy Francks, est en train de préparer des plans pour attaquer Saddam Hussein, tout en précisant qu'une frappe militaire n'est pas pour bientôt.

En effet, Francks déclare le lendemain, depuis le Kazakhstan, qu'il planifie une éventuelle campagne irakienne de manière que « notre pays et nos alliés disposent d'options crédibles qui puissent être présentées au Président ».

Les « alliés »... Une denrée rare, en cette fin de mois août 2002 : la Russie s'oppose à une action militaire contre l'Irak, tout comme la Chine, l'Allemagne et même le Canada. La France n'est pas plus enthousiaste, insistant pour que le problème soit traité à travers les Nations unies...

Comme une mauvaise nouvelle n'arrive jamais seule, un sondage USA Today/CNN/Gallup effectué le 23 août montre que seulement 53 % des Américains soutiennent maintenant une opération terrestre en Irak, contre 74 % en novembre 2001.

Le général Zinni, ancien chargé de mission au Moyen-Orient, déclare lui aussi que les Etats-Unis feraient mieux de négocier une paix durable entre Israéliens et Palestiniens, et de continuer à traquer les réseaux d'Al Qaeda, avant de se lancer à la poursuite de Saddam Hussein : « Il est intéressant de noter que tous les généraux voient les choses de la même manière, et que tous les va-t-en guerre qui n'ont jamais tiré une seule balle de leur vie pensent le contraire. »

Le vendredi 30 août, c'est au tour de Taha Yassin Ramadan, vice-président irakien, de prendre la parole, comme encouragé par les sondages américains, pour avertir que l'Irak ne tombera pas aussi vite que le régime des Talibans : « L'Irak se battra bec et ongles pour défendre son territoire. L'Irak n'est pas l'Afghanistan et l'administration américaine le sait. »

Ramadan explique ensuite que, en cas d'attaque, l'Irak se réserve le droit d'attaquer Israël : « En cas de confrontation militaire, l'Irak a le droit d'attaquer n'importe quel pays, n'importe où... »

La manœuvre irakienne ne manque pas d'habileté, car la perspective de missiles bourrés de gaz neuro-toxique est, ce jour-là, probablement moins destinée à Israël qu'aux Nations unies : Bagdad soulève le spectre d'un embrasement régional qu'il peut déclencher avec une facilité déconcertante. Envoyer un scud sur Tel-Aviv, et provoquer une réplique massive de l'Etat hébreu, ferait voler en éclats n'importe quelle coalition. L'Irak deviendrait un martyr de la cause arabe, une nouvelle Palestine. Qui, parmi les alliés de Washington, accepterait de participer à une opération militaire qui pourrait se solder par un tel bouleversement géopolitique ?

L'Angleterre, bien sûr. Mais le reste des alliés traditionnels de l'Amérique est toujours aussi réticent. Exception faite de l'Europe de l'Est, qui s'implique avec une vigueur surprenante – mais pas désintéressée – dans la lutte contre Saddam Hussein et l'« axe du mal ». De la Roumanie à la Bulgarie, en passant par la Pologne, ces pays offrent des hommes, de (maigres !) moyens et des autorisations de survol qui sont très appréciés par le Département d'Etat. Un ministre roumain répondra à un officiel français, surpris par une telle attitude : « Quand nous aurons connu quarante ans de prospérité, nous pourrons nous permettre de considérer le soutien américain comme acquis... »

Une première lueur d'espoir parvient néanmoins de la Russie. Celle-ci contacte secrètement, à la fin du mois août, une délégation de l'INC, l'opposition irakienne. La teneur des discussions reste mal connue, mais il est clair qu'elles tournent autour de la préservation des intérêts financiers de la Russie en Irak, en cas de changement de régime. « Nous avons des problèmes financiers énormes en Russie, avec une dette de plus de 100 milliards de dollars. Nous devons récupérer l'argent que nous doivent plusieurs pays... », déclare un diplomate russe, mentionnant également l'accord de coopération économique de 40 milliards de dollars signé entre la Russie et l'Irak. Il insiste, à la grande joie des opposants irakiens, sur le fait que ces accords sont basés sur des notions de pure nécessité économique, et qu'ils sont signés avec l'Irak plus qu'avec Saddam Hussein. Mais, en même temps, il répète que la Russie ne croit pas à une action militaire...

Ce qui n'est pas le cas de Hoon, le secrétaire d'Etat à la Défense britannique, qui annonce son départ pour l'Amérique la semaine suivante, afin de discuter des plans d'attaque contre l'Irak et d'évaluer le niveau des forces britanniques qui pourraient être engagées dans un futur conflit. A titre privé, il s'entretiendra également avec Donald Rumsfeld.

Même si les Anglais demeurent les plus farouches alliés des Américains, du moins à travers le gouvernement de Tony Blair, l'annonce faite par Jack Straw, le ministre des Affaires étrangères, insère une fausse note dans la partition anglo-américaine : « Si l'Irak accepte le retour des inspecteurs, alors la menace militaire [à son encontre] diminuera. »

Sans modifier la position britannique, cette remarque semble tout de même conférer un caractère moins inéluctable à une intervention. Le lendemain, c'est au tour de Colin Powell de déclarer : « Washington veut que le retour des inspecteurs soit un premier pas vers la résolution du conflit irakien. » Que Dick Cheney ait estimé le retour des inspecteurs en Irak totalement inutile ne semble pas ébranler le secrétaire d'Etat, qui campe sur ses positions malgré les réticences de presque tout le reste de l'administration.

Au même moment, en Turquie, le nouveau patron de l'armée, le général Hilmi Ozkok, reconnaît disposer d'une présence militaire au nord de l'Irak. Selon les Kurdes du KDP, qui confirment ces déclarations, « il y a environ deux douzaines de chars, avec des troupes au sol et des hélicoptères, qui effectuent des sorties dans la région de temps à autre. Cette présence est d'ailleurs en train de se renforcer ».

Bush avait déclaré quelques semaines plus tôt qu'il entendait consulter ses alliés. Le premier résultat tangible sera la volte-face du Koweit, jusqu'alors opposé à toute intervention militaire contre l'Irak, qui fait savoir, toujours le 2 septembre, que l'Amérique pourra compter sur l'aide du Koweit si Washington le demande. « Tant que Saddam Hussein continuera de détenir des prisonniers de guerre koweitiens, qu'il continuera ses propagandes télévisées menaçantes à l'égard du Koweit, nous considérerons que la guerre contre l'Irak n'a pas cessé. »

En termes stratégiques, l'Amérique dispose maintenant des deux bases indispensables au déploiement de son arsenal militaire : la Turquie et le Koweit. Le reste ne constitue que des « bonus », même si la base de Prince Sultan en Arabie Saoudite représente un élément important –mais pas irremplaçable – du dispositif d'attaque américain.

Le mardi 2 septembre, Rumsfeld déclare qu'il possède des « informations secrètes » corroborant sa thèse, selon laquelle l'Irak serait proche de son but : obtenir une arme nucléaire. Ces informations ne sont toujours pas rendues publiques, et un sondage d'ABC News enregistre, en un mois, un soutien en baisse de plus de 10 % concernant une action militaire contre l'Irak. Un grand nombre de sénateurs, à la fois démocrates et républicains, expriment publiquement leur réserve : le républicain Mac Cain reconnaît que l'administration n'a pas réellement fait d'efforts pour présenter un dossier convaincant sur les preuves qui lient Bagdad et Al Qaeda. Selon Tom Daschle, sénateur démocrate du Dakota du Sud : « Nous pensons qu'il serait important de mieux comprendre les informations dont le Président dispose »...

Face à cette contestation rampante, il est de plus en

plus clair que la diplomatie doit remplacer l'unilatéralisme qui prévalait jusqu'alors. Washington ne peut plus se permettre de faire cavalier seul – moins à cause de la communauté internationale que de sa propre opinion publique : en créant une coalition, un consensus contre Saddam, Bush espère maintenir les sondages à des niveaux acceptables. Si l'idée d'un affrontement avec l'Irak devient franchement impopulaire à travers le pays, toute l'opération sera vouée à l'échec. Washington doit maintenant travailler dans le cadre des institutions.

« Le soutien de nos alliés n'est pas absolument essentiel..., déclare le sénateur Tom Daschle... Mais il y aurait un prix gigantesque à payer dans le cas d'une action unilatérale [de notre part], particulièrement si elle contrarie presque tous nos alliés à travers la planète... »

Une grande partie de ces alliés sont justement réunis pour une conférence sur l'environnement, le mercredi 4 septembre à Johannesburg. Une occasion supplémentaire pour l'Europe, à travers le Premier ministre danois, d'affirmer que s'il n'y a « aucun doute » sur le fait que Saddam est dangereux, « il est d'une importance vitale de persévérer sur la voie tracée par les Nations unies ».

Mais que les choses soient claires : forger une coalition autour des idées américaines ne signifie en rien que ces mêmes idées doivent être remises en question. Washington veut l'affrontement.

Pour maintenir la pression, Tony Blair annonce que Downing Street publiera « dans les semaines à venir » un dossier détaillant la manière dont Saddam s'efforce de développer des armes de destruction massive. Le Premier ministre est également attendu à Washington dans les jours à venir, afin de discuter des derniers développements du dossier irakien...

Partout, surtout dans le monde arabe, les appels au calme se multiplient. Mais dans le même temps, les informations semblent subitement pleuvoir et amplifier la menace présentée par l'Irak : des images satellites indiquent de nouvelles constructions et des changements inexpliqués sur plusieurs sites répertoriés comme participant au programme nucléaire de Saddam. Une information qui tombe à point nommé, et qui contribue à mettre les alliés de l'Amérique au pied du mur. Si la menace est confirmée, l'Europe et le monde arabe n'auront aucune excuse pour refuser de se joindre à l'invasion...

Le même jour, une centaine de chasseurs, de bombardiers, de ravitailleurs et d'avions espions attaquent tout le système de défense antiaérien de l'Ouest irakien, afin selon certain experts de « faciliter le largage des Forces spéciales par hélicoptères, sans que ceux-ci puissent être détectés ».

Le vendredi 6 septembre, Bush s'embarque dans une série d'appels téléphoniques avec les dirigeants chinois, russe et français, pour tenter de rallier ces pays à la position américaine. Poutine lui déclare qu'il « doute profondément » du bien-fondé d'une attaque, même si tout le monde sait que les atermoiements de la Russie proviennent plutôt des dettes colossales contractées par l'Irak au temps de l'Union soviétique, que Moscou tente aujourd'hui de récupérer...

La Chine, opposée au conflit, est relativement proche de l'Irak : elle a vendu plusieurs systèmes militaires à Bagdad, notamment les fameux missiles sol-sol « Ver à Soie ». Plusieurs sociétés ont été placées sur « liste noire » par l'Amérique pour avoir contourné l'embargo. Sa position, en tant que membre permanent du Conseil de sécurité, est impossible à prévoir...

Les négociations avec la France sont compliquées par

le fait que, malgré la courtoisie qui gouverne les rapports entre les deux dirigeants, Bush et Chirac ne s'aiment pas. L'Américain voit le Français comme trop indépendant, et Chirac, lui, ne supporte pas l'arrogance à peine dissimulée du patron de la Maison Blanche dans ses relations avec l'étranger...

Dans les trois cas, les prises de contact s'avèrent relativement infructueuses. Mais trois jours plus tard, la publication d'un rapport émanant de l'un des instituts de recherche anglais les plus réputés vient consolider la thèse américaine. L'Institut international pour les études stratégiques déclare que « Saddam n'est peut-être qu'à quelques mois d'une bombe nucléaire ». De plus, le rapport (« Irak's Weapons of Mass Destruction – A Net Assessment ») explique que Saddam possède des milliers de litres d'anthrax, des centaines de tonnes de gaz moutarde, quelques centaines de tonnes de sarin (le gaz utilisé lors de l'attaque du métro du Tokyo) et de VX et, surtout, les moyens d'en produire beaucoup plus. Saddam dispose probablement d'une douzaine de missiles Al Hussein, d'une portée de 400 miles, suffisante pour frapper Israël.

Il dispose également de missiles Al Samoud, à courte portée, qui pourraient être utilisés pour frapper les forces de la coalition dans le cas d'une attaque contre l'Irak. De plus, il pourrait attaquer des villes à l'aide d'armes chimiques ou bactériologique en utilisant des forces spéciales ou encore des organisations terroristes. Un bon point pour Washington, qui n'en attendait pas tant...

Deux jours plus tard, le 10 septembre, le vice-président irakien appelle « les Arabes et les "bonnes personnes" à s'opposer aux intérêts des agresseurs, matériels et humains, où qu'ils se trouvent, parce que c'est leur droit ».

Cette semaine marque le début d'un changement de

ton très net en Europe, où de nombreux responsables n'hésitent plus à dénoncer Saddam Hussein comme une menace, par sa volonté d'acquérir des armes chimiques ou biologiques.

L'Irak accepte tout

Le 9 septembre, dans une interview au *New York Times*, le président Jacques Chirac énonce son idée d'une double résolution onusienne. La première donnerait trois semaines à l'Irak pour réadmettre les inspecteurs, sans aucune restriction. Dans le cas d'un refus, une seconde résolution, concernant un recours à la force, serait débattue à New York.

Mais si les négociations progressent sur le front diplomatique, le volet militaire de l'opération se met également en place avec une rapidité surprenante : le Pentagone annonce le transfert de 600 officiers du Central Commande, ou CentCom, sur la base d'Al Udeid, dès le mois de novembre.

Le tournant diplomatique de cette crise surviendra le 12 novembre, lorsque le Président s'adresse aux Nations unies, présentant une impressionnante liste de résolutions foulées aux pieds par le dictateur irakien dans le passé, et expliquant ensuite qu'un conflit sera inévitable si l'Irak ne se plie pas à toutes les exigences des Nations unies.

En prenant le parti de l'ONU, Bush manœuvre avec une étonnante subtilité, revenant à la politique prônée par Colin Powell. Il s'agit d'une décision qu'il n'a probablement pas prise de bonne grâce, lui qui était plus enclin à suivre les solutions simplistes et rapides des faucons. Mais la chute rapide du soutien accordé par le public américain à une guerre contre l'Irak l'a poussé à suivre la ligne tracée par le Département d'Etat. Pour faire cavalier seul, l'administration avait besoin de bénéficier de l'unanimité dans son propre pays. Une fois perdu ce précieux avantage, elle doit emprunter le canal de l'ONU.

Bush sait très bien que Saddam ne respectera pas les conditions imposées par les Nations unies. Et que « sa » guerre deviendra inévitable – et respectable aux yeux de ses alliés.

Powell s'embarque alors dans un véritable marathon diplomatique : l'Amérique veut faire voter une résolution dure, si dure qu'elle en sera inacceptable. Mais pour cela elle doit obtenir l'approbation d'un Conseil de sécurité divisé, voire totalement réfractaire à l'usage de la force : « Des efforts doivent être faits pour empêcher l'élargissement arbitraire de la guerre contre le terrorisme », déclare le ministre des Affaires étrangères chinois. La position de son homologue russe, elle, semble devenir plus nuancée. Après des entretiens avec Colin Powell, il déclare : « S'il refuse [le gouvernement irakien] de coopérer avec le Conseil de sécurité, il portera la responsabilité des possibles conséquences que cela entraînera. »

Le discours de George Bush aux Nations unies a frappé juste, puisque dans un sondage *Newsweek* deux tiers des Américains estiment qu'il est important de bénéficier du soutien du Congrès et de l'ONU. Par ailleurs, 70 % de ses concitoyens sont satisfaits de ses résultats en tant que président...

Même la Ligue arabe semble préoccupée : elle qui mettait l'Amérique en garde contre l'idée même d'une opération militaire s'efforce aujourd'hui de convaincre Bagdad d'accepter le retour des inspecteurs.

Le 16 septembre, nouveau coup de théâtre : l'unité arabe contre un assaut américain semble se désagréger à une vitesse surprenante : l'Arabie Saoudite, après le

Koweit, annonce qu'elle autorisera peut-être les Américains à utiliser ses bases dans le cas où l'invasion serait
approuvée par les Nations unies.

En voyant l'évolution rapide des événements, et le peu
de soutien dont il dispose en réalité, Saddam passe à l'offensive. Il déclare, dans une annonce qui mettra la Maison Blanche et Downing Street littéralement KO, qu'il
accepte un retour des inspecteurs en Irak, sans aucune
condition préalable. Paris et Moscou considèrent que,
dans ces conditions, il est inutile de chercher à mettre en
place une nouvelle résolution : l'Irak accepte tout.

Pour Washington et Londres, cette tactique ne sert qu'à
diviser la coalition internationale. Il faut persévérer,
enfoncer le clou et mettre Saddam au pied du mur : « On
savait qu'il allait revenir, à un moment ou à un autre, sur
sa proposition. Que d'ici deux semaines un communiqué
de Bagdad dirait : "On accepte les inspecteurs, oui... Mais
on veut discuter de plusieurs points au préalable." C'était
toujours comme ça avec Saddam Hussein... », nous a
confié un haut responsable du Département d'Etat.

Powell affirme d'ailleurs, le lendemain de la déclaration irakienne, être « absolument sûr » que les Etats-Unis
continueront de promouvoir leur projet de résolution, de
manière que les décisions de l'ONU soient respectées et
appliquées.

La veille, le secrétaire d'Etat s'est entretenu avec des
diplomates africains et sud-américains, mais également
avec le ministre des Affaires étrangères britannique, Jack
Straw. Les deux pays travaillent à un projet de résolution
commune qu'ils comptent présenter ensuite au Conseil
de sécurité.

En parallèle, Colin Powell et le Président tentent de
convaincre le plus récalcitrant des membres du Conseil,

à savoir la Russie. Le vendredi 20 septembre, Bush téléphone à Poutine sans parvenir à un accord. Une délégation diplomatique russe, composée des ministres des Affaires étrangères et de la Défense, s'entretient durant la même journée avec Colin Powell, puis avec le Président.

Les négociations, selon l'un des assistants de l'équipe présidentielle, portent sur les garanties octroyées à la Russie dans le cas d'un changement de régime : les contrats de coopération, les dettes et les en-cours seraient-ils honorés par les futurs responsables irakiens, sur lesquels Washington n'est pas sans influence ? Ces entretiens ne suffiront pas à aplanir les divergences d'intérêts et les multiples désaccords qui existent entre Washington et Moscou.

Plusieurs options pour attaquer Bagdad

Le 21 septembre, le Président reçoit un plan extrêmement détaillé prévoyant plusieurs options pour une attaque contre l'Irak. Ce plan explique notamment que l'offensive débuterait par une longue campagne aérienne destinée à isoler Saddam de ses centres de commandement, conjuguée avec une invasion terrestre de quelques dizaines de milliers d'hommes. Le gros des troupes demeurant dans les bases arrière, prêt à intervenir si la situation l'exigeait... Mais surtout, ce plan explique que le Pentagone considère la période de janvier-février comme la plus propice au déclenchement de l'attaque.

Le Président dispose maintenant d'un « plan de route » qui lui permet d'entrevoir clairement l'issue du conflit irakien, à condition que les manœuvres diplomatiques de Saddam ne le plongent pas une nouvelle fois dans l'impasse.

Pour rassurer ses alliés, et les convaincre de suivre

l'Amérique dans cette aventure, Condoleeza Rice déclare le lendemain que Washington se consacrera « entièrement à la reconstruction de l'Irak, en tant qu'Etat unifié et démocratique ».

Encore une fois, la position américaine est renforcée par un élément nouveau : le dossier que l'on attendait tant, et qui détaille les sombres desseins de Saddam Hussein. Publié par Tony Blair et fondé sur les rapports de plusieurs services de renseignements, ainsi que des inspecteurs des Nations unies, il explique que l'Irak continue de produire des agents chimiques et biologiques, élabore des stratégies militaires pour utiliser ces mêmes agents, essaie d'acquérir en Afrique la technologie et les matériaux nécessaires à la production d'armes nucléaires, conserve plusieurs missiles d'une portée supérieure à celle autorisée par les Nations unies. Mais certains, même au sein du parti de Tony Blair, émettent des réserves sur ce dossier. Peter Kilfoyle, ancien responsable du ministère de la Défense, considère qu'il « est plein d'allégations sans substance ». Un autre membre du parti travailliste, Alan Simpson, déclare également que le dossier est « profondément tronqué, partiel et superficiel ».

Sur le front diplomatique, Marc Grossman, sous-secrétaire d'Etat américain, arrive à Paris le jeudi 26 septembre, en compagnie d'un diplomate britannique, pour tenter d'infléchir la position française.

« Powell savait qu'il ne ferait passer aucune résolution si l'Amérique campait sur ses positions. Dans le camp du compromis, la Russie et la Chine ne proposaient rien. Seule la France prenait l'initiative. D'ailleurs, sa proposition avait déjà été analysée. Powell – et surtout George Bush – considérait qu'elle était tout à fait réaliste. Elle pouvait fournir une bonne base de travail, et un point de départ pour les négociations à venir », nous déclare un responsable du Département d'Etat.

Le 28 septembre, l'agence Associated Press publie les détails de la proposition américaine : « L'Irak devra révéler tous ses matériaux relatifs aux armes de destruction massive, et autoriser l'accès des palais présidentiels aux inspecteurs de l'ONU. » Saddam Hussein a sept jours pour accepter la résolution et il devra ensuite présenter rapidement une liste des matériaux interdits dont l'Irak est en possession. La résolution stipule également que les inspecteurs auront le droit de mettre en place des zones d'exclusion aériennes et routières, gardées par les avions de chasse de la coalition, autour des sites qu'ils visiteront. Cela, pour empêcher que les matériaux compromettants soient discrètement évacués par les sbires de Saddam...

Si ce dernier refuse de se plier à ces demandes, la résolution menace d'utiliser tous les moyens nécessaires contre lui.

L'Irak : une arme de « distraction massive »

Le langage est encore très différent de celui souhaité par Paris, mais le fait que cette résolution – en cas de refus – « menace » d'utiliser la force n'exclut plus tout à fait le vote d'une seconde résolution comme le demandent Jacques Chirac et Dominique de Villepin. A ce moment, Washington a déjà compris que tout se jouera entre les deux capitales. Moscou et Pékin se rangeront derrière les arguments de Paris, qui cristallise le refus d'une solution trop radicale et prône le respect des procédures internationales. Les Russes ont déjà été « rassurés », pour reprendre la formule d'un homme d'affaires proche de Vladimir Poutine. Mais leur dépendance financière vis-à-vis de Saddam Hussein, qui reste l'homme fort de Bagdad, les pousse à rechercher – publiquement – une solution négociée. Si Paris trouve un compromis acceptable, plus personne ne doute que Moscou suivra. Pékin, quant à lui, ne fera pas obstacle à un consensus.

Hors du Conseil de sécurité, l'Amérique est tout aussi sollicitée : une délégation du patronat turc rencontre des responsables de l'administration américaine durant la première semaine du mois d'octobre pour expliquer que le coût d'un nouveau conflit avec l'Irak est estimé à 14,1 milliards de dollars par an. Et les Turcs de demander si, en cas de guerre, l'administration américaine couvrirait ce manque à gagner...

Or, malgré les bonds prodigieux du budget de Défense, l'Amérique n'est pas au mieux pour ensemencer le monde de ses richesses. Durant les deux dernières années la Bourse a perdu 7 000 milliards de dollars ! La chute la plus importante, en termes de pourcentage, depuis la présidence d'Herbert Hoover. L'Irak, selon les propos d'une responsable du parti démocrate, est devenu une « arme de distraction massive » pour faire oublier les vrais problèmes de l'Amérique d'aujourd'hui.

Sur le front diplomatique, la France semble bien décidée à faire contrepoids au bulldozer américain. Les jours et les semaines suivants se déroulent des négociations sans fin durant lesquelles l'Europe adoucit graduellement la position américaine. Celle-ci abandonne, par exemple, l'idée d'un soutien armé des inspecteurs : une idée lancée, durant le mois de septembre, par le groupe Carnegie qui proposait la création d'une force de 50 000 hommes prêts à riposter dans le cas d'un refus irakien.

« Nous savions que cette idée était inapplicable. Mais nous voulions nous en débarrasser au moment opportun, en la faisant passer pour une concession aux yeux des Européens... », explique la même responsable du Département d'Etat.

Le 24 octobre, il ne reste « plus grand-chose à négo-

cier », selon le discours officiel des Américains. Mais la
France refuse d'accorder aux Etats-Unis l'avertissement
qui prédit « de sérieuses conséquences » en cas de non-
respect des termes de la résolution. Pour Paris, il s'agit
d'un véritable langage codé qui permettrait le déclenchement d'une guerre. De plus, la Maison Blanche tient à
stipuler que l'Irak est en « violation patente » (*material
breach*) des résolutions précédentes : une mention qui
facilite un possible recours à la force dans le futur...

Ce que les Français et les Russes veulent éviter à tout
prix, c'est une sorte d'« automatisme » dans le recours à
la force, en cas de non-respect de la résolution. Ces
termes cachés au détour d'un paragraphe ou d'une phrase
d'apparence anodine peuvent bouleverser l'Histoire.
Faire la différence entre une riposte militaire immédiate
et une nouvelle concertation internationale. Faire la différence entre la guerre et la paix.

Le 22 octobre 2002, le ministre des Affaires étrangères
français Dominique de Villepin et son homologue russe,
Igor Ivanov, déclarent que l'administration américaine
devrait faire de plus amples concessions pour obtenir le
soutien de leurs deux pays. « Nous voulons le retour des
inspecteurs et l'élimination des armes de destruction massive, pas un changement de régime en Irak. C'est dans
ce contexte que nous négocions cette résolution. Il est
donc hors de question d'accepter une terminologie
ambiguë qui pourrait servir de feu vert ultérieur à une
invasion américaine...

Le même jour, George Bush semble las de ces allées et
venues diplomatiques. Il déclare que « les Nations unies
doivent agir maintenant ou être reléguées au rang d'un
simple club de discussion ».

Ce coup de poing sur la table arrive après une série
de déclarations apaisantes de la part des responsables de

l'administration américaine. Powell, Rice, ont affirmé deux jours plus tôt que la priorité américaine consistait simplement à se débarrasser des armes de destruction massive de Saddam. Un discours presque totalement aligné sur celui des Européens. Bush lui-même donne une nouvelle définition du « changement de régime ». Si Saddam Hussein accepte les contrôles de l'ONU, cela ne signifie-t-il pas que le régime a changé ?

Malgré tous ces efforts, c'est donc au tour des Européens de se montrer intransigeants. Exaspéré, Bush quitte son habit de diplomate : « Si les Nations unies n'arrivent pas à se décider, Saddam ne désarmera pas. Alors nous mènerons une coalition pour le désarmer, au nom de la paix ! »

Le lendemain, c'est un membre non permanent du Conseil de sécurité, le Mexique, appelé à jouer le rôle d'un intermédiaire de premier plan dans les jours à venir, qui déclare que « les Etats-Unis se rapprochent des positions de la Russie, de la France et du Mexique ». Washington fait donc de nouveaux efforts en coulisse. Mais le temps presse, et la patience de George Bush semble s'épuiser : « Vous avez un choix [à faire], les Nations unies : vous pouvez maintenir la paix en montrant une certaine fermeté. Vous pouvez être les Nations unies ou la Ligue des nations... »

George Bush et Colin Powell espèrent marquer un nouveau point sur l'échiquier diplomatique dès le lendemain, en persuadant le président mexicain Vicente Fox de soutenir la position américaine. La relation entre les deux dirigeants, arrivés au pouvoir à la même époque, avait commencé sous les meilleurs auspices. Puis le 11 Septembre avait mis au placard tous les projets de coopération et d'ouverture entre les deux pays, reléguant Fox au dernier rang des priorités de Bush. De plus, Fox était personnellement intervenu auprès de George Bush pour reporter l'exécution d'un prisonnier mexicain au Texas. Requête que Bush avait tout bonnement ignorée. La visite privée de Fox aux Etats-Unis, dans le ranch du Président, a été annulée, et les relations entre les deux hommes ont tourné court...

Aujourd'hui, c'est l'Américain qui a besoin de son homologue, pas l'inverse. Mais comme dans le cas de beaucoup d'autres pays membres non permanents du Conseil de sécurité, la toute-puissance économique et militaire des Etats-Unis suffit à s'en faire des alliés.

La Colombie, par exemple, a déjà annoncé qu'elle soutiendra la position américaine. Ces petits pays se trouvent dans une situation infiniment plus délicate que la France, la Russie ou la Chine. Ils ne disposent d'aucune marge de manœuvre et conservent en mémoire le sort du Yémen qui fut, le 29 novembre 1990, le seul pays à voter contre l'opération Tempête du désert. L'Amérique annula immédiatement plus de 70 millions de dollars d'aide, et des milliers de travailleurs yéménites furent immédiatement expulsés d'Arabie Saoudite...

Dès son retour du Mexique, Bush annonce qu'il va demander la tenue d'un vote au Conseil de sécurité, que l'Amérique dispose des voix nécessaires ou non. Une manière efficace d'intimider les Français, les Russes et les Chinois, en leur disant : « Si vous ne voulez pas nous suivre, si vous opposez un veto à notre résolution, vous triompherez devant les Nations unies. Mais alors, nous attaquerons quand même l'Irak et les Nations unies seront discréditées. »

Ce haussement de ton américain engendre, le 30 octobre, une série de négociations qui parviennent presque à établir une terminologie communément acceptable. La dernière divergence peut être résumée ainsi : qui décidera que Bagdad n'a pas coopéré ? Les Français souhaitent qu'il s'agisse du Conseil de sécurité, tandis que les Américains ne le précisent pas. Paris tient à ne rien laisser dans l'ombre, pour éviter que Washington ne s'approprie l'ambiguïté...

Mais l'accord est maintenant en vue : Colin Powell déclare qu'en « travaillant encore un peu, nous préserverons les intérêts de nos amis sans pour autant entraver l'Amérique ».

Le deuxième point de friction, sur le terme de « violation patente » qui serait utilisé pour qualifier la non-coopération de l'Irak, semble également en passe d'être résolu. Déclarer l'Irak en situation de « violation patente » facilitera l'activation d'une campagne militaire. La France accepte de parler d'une « violation patente » pour les résolutions précédentes, mais stipule que le Conseil de sécurité est le seul à pouvoir décider si une nouvelle « violation patente » est obtenue...

Les différences s'estompent, et le travail reprend durant le week-end. Alors que les avions alliés bombardent les casernes irakiennes avec des tracts prévenant qu'un soldat qui tire sur un Américain sera éparpillé dans l'atmosphère par les missiles de l'US Air Force, alors que les relations de Rumsfeld avec Tenet, le directeur de la CIA, deviennent franchement exécrables – le premier accusant le second de ne pas avoir établi de liens entre Al Qaeda et Saddam Hussein, lui reprochant presque de ne pas en avoir inventé –, l'Amérique a tout gobé : dans un sondage stupéfiant publié par *Time Magazine*, le 3 novembre, on apprend que les trois quarts des Américains pensent que Saddam Hussein aide Al Qaeda, et que 71 % considèrent que le dirigeant irakien est personnellement impliqué dans les attentats du 11 Septembre ! Une hypothèse, selon le *Time*, que « même les faucons n'ont pas émise à haute voix »...

Décidera-t-il d'agir seul ?

Le lundi 4 novembre, le ministre des Affaires étrangères mexicain déclare, à l'issue des multiples discussions des deux jours précédents : « Nous avons le sentiment d'être déjà parvenus à un accord. Un accord tout à fait bénéfique pour le monde, pour les Nations unies et pour le Mexique... »

Saddam Hussein, de nouveau, effectue l'un de ces virages dont il a le secret, mais sans que cette manœuvre, tardive et inefficace, altère l'homogénéité du Conseil de sécurité. Il déclare à un envoyé sud-africain qu'il « respectera toute décision qui sera prise en accord avec la Charte des Nations unies et la loi internationale ». Dans un autre entretien avec Jörg Haider, Saddam Hussein déclare de nouveau que l'Irak ne possède pas la moindre arme de destruction massive...

Mais au Conseil de sécurité, le doute n'est plus permis. Les Etats-Unis ont déclaré vouloir introduire leur projet de résolution le mercredi, en escomptant un vote avant la fin de la semaine. Pour obtenir le passage de leur texte, ils doivent obtenir neuf voix sur quinze, sans qu'aucun veto des membres permanents soit appliqué.

La Syrie est maintenant la seule inconnue, même si son seul vote n'a aucune importance pratique. L'île Maurice a rappelé son ambassadeur trois jours auparavant, car ce dernier avait « donné l'impression que l'île Maurice s'opposait à la résolution américaine ». Il faut rappeler que ce petit pays est signataire d'un accord d'aide financière qui l'oblige à ne pas « saper les fondements des intérêts liés à la sécurité nationale américaine ».

Le 5 novembre, on apprend que l'Ukraine, elle, ne s'embarrasse pas de tels principes. Le rapport anglo-américain sur les ventes d'armes illicites à l'Irak déclare que les arguments de Kiev ne « sont pas "convaincants" ». Le garde du corps du président a enregistré ce dernier – avant de passer prudemment à l'Ouest – pendant qu'il négociait la vente d'un système Kolchuga : un complexe de quatre récepteurs capables de détecter un avion à plus de 500 miles et une cible terrestre à plus de 370 miles. Il est rendu encore plus meurtrier par le fait qu'il n'émet aucun signal, et qu'il est donc indétectable... Sur la bande, on entend Kouchma, le président ukrainien, arranger le transfert par un intermédiaire jordanien, et demander à ses collaborateurs de s'assurer que le « Jordanien la ferme », conseil qu'il aurait mieux fait de suivre lui-même...

Mais tout cela est sans importance pour l'Amérique. Mieux encore : cette information ajoute au sentiment de menace qui a appuyé l'initiative des faucons, et qui leur ouvre maintenant les portes de Bagdad.

Le vendredi de la même semaine, la résolution est adoptée à l'unanimité, à mi-chemin entre les revendications françaises et américaines, malgré les restrictions de la Syrie qui avait expliqué que, si le vote n'était pas repoussé à la semaine suivante pour lui permettre de s'entretenir avec les ministres de la Ligue arabe pendant le week-end, un accord serait « très, très difficile. Voire impossible ».

La résolution, sans conteste, consacre la victoire d'une démarche consensuelle sur l'unilatéralisme qui prévalait encore quelques mois plus tôt. Mais au-delà ? Au moment où s'achève l'écriture de cet ouvrage, plus de 70 000 soldats sont déjà massés autour de l'Irak, appuyés par une formidable armada. Le dossier fourni – à temps – par Saddam Hussein sur le développement de ses programmes chimique, biologique et nucléaire est analysé par les experts onusiens, mais également américains. La moindre erreur, volontaire ou pas, peut entraîner des conséquences incalculables...

George Bush avait besoin des Nations unies pour gagner du temps, et besoin d'une coalition pour rassurer les Américains. Aujourd'hui, il surfe sur une popularité hors du commun, avec une majorité plus que confortable au Congrès. Retournera-t-il auprès de ces mêmes Nations unies si l'Irak cesse de coopérer ? Ou décidera-t-il d'agir seul ?

En plus de la menace engendrée par une guerre aux conséquences totalement imprévisibles, la crise irakienne dévoile un autre danger. Celui de voir l'Amérique s'installer à la tête d'autres missions « civilisatrices » du même type, imposées par la force, mues par des idées au mieux naïves, au pire totalement hypocrites, et pensées sur un avenir dangereusement court. Avec, face à Washington, un monde cantonné au rôle de simple figurant...

21 décembre 2002, *Le Monde* titre : « Irak, un pas de plus vers la guerre. » Après un examen approfondi du dossier transmis par Bagdad, les Etats-Unis accusent le régime de Saddam Hussein d'une violation flagrante de ses obligations en matière de désarmement. Selon le secrétaire d'Etat Colin Powell, de nombreuses omissions ont été relevées dans le document de onze mille pages transmis par l'Irak. La guerre paraît de plus en plus inéluctable.

Bibliographie

Chapitre 1

KOUWENHOUVEN John A., *Partners in banking*, Brown Brothers Harriman, Doubleday

LEVINSON Charles et LAURENT Eric, *Vodka Cola*, Editions Stock

SUTTON Antony C., *Wall Street and the rise of Hitler*, 76 Press California

TARPLEY Webster et G. CHAITKIN Anton, *George Bush, the unauthorized biography*, The Executive Intelligence Review

THYSSEN Fritz, *I paid Hitler*, Kennikat Press, 1972

WILES Rick, *American Freedom News*, septembre 2001

Chapitre 2

BAMFORD James, *The Puzzle Palace*, Houghton Mifflin

BEATY Jonathan et GWYNNE S.C., *The Outlaw Bank*

BREWTON Pete, *The Mafia, CIA and George Bush*, S.P.I. Books

COLBY William, *Honorable Men*, Simon and Schuster

Harper's Magazine, CONASON Joe, *George W. Bush Success Story*, février 2000

HATFIELD James H., *Fortunate Son*, Saint Martin's Press, novembre 1999

LAURENT Eric, *La Puce et les Géants*, Fayard, préface de Fernand Braudel

MARCHETTY Victor et MARKS John, *La CIA et le Culte du renseignement*, Laffont

PERRY Mark, *Eclipse, the last days of the CIA*, Morrow

TARPLEY Webster et G. CHAITKIN Anton, *George Bush, the unauthorized biography*, The Executive Intelligence Review

TRUELL Peter et GURWIN Larry, *False Profits*, Houghton Mifflin
WISE David, *Politics if lying*, Random House
USA Today, 29 octobre 1999
Intelligence News Letter, 3 mars 2000
Wall Street Journal, 27 et 28 septembre 2001
ABC News, 1er octobre 2001

Chapitre 3

LAURENT Eric, *Tempête du désert*, Plon
THOMAS William, *Bringing War Home*, Earth Pulse Press
   Incorporated
TIMMERMAN Kenneth, *The Death Lobby : how West armed Irak*
Los Angeles Times, 13 février 1991
Los Angeles Times, FRANTZ Douglas et WAAS Murray, « Bush and
   aid to Irak », février 1992
Wall Street Journal, 3 octobre 1992
New York Times, SAFIRE William, 7 décembre 1992
Columbia Journalism Review, BAKER Russ W., mars-avril 1993
Wall Street Journal, 27 et 28 septembre 2001
New York Times, 18 août 2002
Green Left Weekly, DICKSON Norm, 30 août 2002

Chapitre 4

HATFIELD James H., *Fortunate Son*, Saint Martin's Press, novembre
   1999
Harper's Magazine, CONASON Joe, « George W. Bush success
   story », février 2000
Harper's Magazine, PHILLIPS Kevin, 2000
sfgate.com, LAZARUS David
Dallas Morning News, 15 février 2000
The Nation, CORN David, 27 mars 2000
Judicial Watch, 3 mars 2001
New York Times, 5 mars 2001
Wall Street Journal, 19 et 20 septembre 2001
Wall Street Journal, 27 et 28 septembre 2001
Judicial Watch, KLAYMAN Larry, 28 septembre 2001
Hindustani Times, 28 septembre 2001
The Guardian, 31 octobre 2001

The Guardian, 7 novembre 2001
The Independant, NISS Jason, 13 janvier 2002
Washington Post, 29 mai 2002
Washington Post, MILBANK Dana, 6 septembre 2002

Chapitre 5

ABURISH Saïd K, *The House of Saud*, Bloomsbury, 1994
BAMFORD James, *Body of secrets*, Doubleday, 2001
New York Times, WAYNE Leslie, 5 mars 2001
New York Times, 9 octobre 2001
New York Times, MILLER Judith et GERTH Jeff, 13 octobre 2001
The New Yorker, HERSH Seymour M., 22 octobre 2001
Washington Post, DEYOUNG Karen, 6 novembre 2001
Newsweek, 19 novembre 2001
Washington Post, OTTAWAY David B. et KAISER Robert G., 18 janvier et 10 février 2002
Washington Post, 11 et 12 février 2002
New York Times, MILLER Judith, 25 mars 2002
Washington Post, 26 avril 2002
Washington Post, 1er août 2002
Associated Press, ABU-NASR Donna, 8 août 2002
CNN, 27 août 2002
AFP, 28 août 2002
Washington Post, MILBANK Dana et KESSLER Glenn, 28 août 2002
Newsweek, ISIKOFF Michael, 22 novembre 2002
New York Times, TYLER Patrick E., 26 novembre 2002
Wall Street Journal, SIMPSON Glenn R., 26 novembre 2002
MSNBC News, 27 novembre 2002

Chapitre 6

Irak News, MYLROIE Laurie, 19 octobre 1998
Newsweek, 19 février 2001
Washington Post, 23 septembre 2001
Washington Post, 30 septembre 2001
New York Times, 6 octobre 2001
New York Times, MAX D.T., 7 octobre 2001
Washington Post, BARKEY Henri J., 9 décembre 2001
The San Diego Union-Tribune, 21 mars 2002

Washington Post, 26 avril 2002
Washington Post, WILLIAMS Daniel, 2 juin 2002
Washington Post, WOODWARD Bob, 16 juin 2002
Washington Post, 2 août 2002
The Economist, 3 août 2002
Washington Post, 9 août 2002
Le Monde, 10 août 2002
Time, 12 août 2002
Le Monde, JARREAU Patrick, 13 août 2002
The New Yorker, LEMANN, Nicolas, 16 septembre 2002
Miami Herald, 5 octobre 2002
Philadelphia Inquirer, 20 octobre 2002

Table

Composé par Nord Compo à Villeneuve-d'Ascq

Achevé d'imprimer : janvier 2003
Dépôt légal : janvier 2003
N° d'édition : 13588

IMPRESSION
IMPRIMERIE GAGNÉ

IMPRIMÉ AU CANADA